WAC BUNKO

中国人の僕が日本に帰化した理由(ワケ)

孫向文

WAC

まえがき

二〇二一年二月、ついに僕は念願だった日本への帰化を果たしました。帰化後の名前は日本のアニメに登場するような純和風のもので、銀行で口座名義を改名した際に、窓口のお姉さんから「美しい名前ですね」と言われたことが嬉しかったです。

なぜ中国人だった僕が日本に帰化したのか——その理由を一言で簡潔に言えば、世界一のサブカルチャー大国・日本の漫画業界で、いつか日本人として日本流の漫画を描きたかったからです。

僕が生まれた一九八三年は、江青など四人組が逮捕(一九七六年)され、文化大革命の後遺症から脱して、すでに鄧小平の〝改革開放時代〟に突入していた頃です。一九七二年の日中国交正常化や八〇年の華国鋒首相の国賓来日、また胡耀邦と中曽根康弘首相が個人的に親睦を深めていたこともあって、その頃の日中関係は良好でした。

その影響もあって当時、中国では日本のアニメが流行(はや)りました。僕が最初に見たアニメは幼稚園児の頃に見た『一休さん』です。『一休さん』は室町時代が舞台のお話。当時アニメに出てくる将軍の屋敷などを見て、中国とまったく異なる風景（世界観）に衝撃を受けたことを覚えています。まだ「帰化」どころか「日本」も知りませんでしたが、思い返せばこの頃から漠然と日本に親しみを感じていました。

それに日本のアニソン（アニメソング）もお気に入りでした。子ども向けですから、当然、アニメ本編は中国語に吹き替えられていたものの、オープニングテーマとエンディングテーマは日本のアニソンがそのまま使用されていました。何語かはわかりませんでしたが、一休さんの「ははうえさま」（作詞：山元護久／作曲：宇野誠一郎）をはじめ、日本のアニソン特有のメロディーに癒されたものです。

なかでも、『ドラゴンボール』の作者・鳥山明の人気作品『Dr.スランプ アラレちゃん』の夏季限定エンディングテーマ「アラレちゃん音頭」（作詞：満都南／作曲：菊池俊輔／編曲：たかしまあきひこ）は日本でも夏祭りの際に流れる定番曲ですが、当時、日本の夏祭りを経験したことのなかった七歳の僕は、そのメロディーに親しみを感じていました。そんな経緯もあって、日本を舞台にした作品を描くことにも憧れました。

もう一つ、僕が日本好きになった要因としては、両親の存在があります。前述の通り、僕が生まれた一九八〇年代は日中関係が良好だった時代です。僕の父親も日本製品の大ファンで、家電をはじめ、家にあるものはどれも日本製ばかりでした。その影響で、今では僕も買うものは日本製じゃなければ気が済みません（笑）。

それに、当時はインターネットがなく娯楽が限られていたので、毎週日曜日の夜は家族でそろってテレビを見ていました。『鉄腕アトム』『Dr.スランプ アラレちゃん』……小学生の頃は日本のアニメを見ないと次の日、学校で友達と話す話題がなかったほどです。

それは同時に、日本の文化が中国に流入してきた頃でもあります。テレビでは松下電器（現在のパナソニック）のコマーシャルが流れていたし、そんな松下電器は中国政府の招致によって中国に工場まで建設しました。当時は白物家電＝日本という印象が中国でも浸透しており、中国の家電は品質が悪く、日本の家電はまるで〝未知の発明品〟というのが中国人の日本製品に対する一般的なイメージでした。まだ中国製のビデオレコーダーがなかった頃ですが、日本製のレコーダーが入ってきたことで、よく父親とレンタルビデオ店でビデオテープ（香港で放送された日本のドラマ・アニメを録画した海賊版）を借りてきて鑑賞したものです。

また日本の俳優やアイドル、ファッションも流行りました。当時の中国人のファッションや髪形は、昭和の日本人にソックリ。来日してから昭和アイドルの写真集を見てみると、昔の母親の髪型と瓜二つでビックリしました（笑）。

このように生まれ育った時代、環境のおかげで僕は日本に親しみを持つことができました。小学生になる頃には、心のなかは日本人――そんな自分らしさ（アイデンティティ）を見つけた気がして、ひたすら日本で暮らしてみたいと思うようになっていました。

帰化をするということは、逆に言えば〝祖国の国籍を捨てる〟ことでもあります。本来なら、さまざまな感情や葛藤（かっとう）が生じると思います。しかし世界中で知られている通り、中国はパクリ文化が横行しています。加えてモノだけでなく、各国から技術や知識、ときには技術者まで持ち帰ってきます。そして、今ではウイグル人やチベット人の命、そして国境を接する隣国の土地まで平然と奪っている。このような国で暮らすことなど耐えられませんし、そのような人たちと同胞だと思われることにも抵抗があった。だからこそ、日本への帰化も違和感が一切なく、むしろ一刻も早く中国籍を捨てたかった。その気持ちに後悔はありませんし、それは帰化した今でも変わりません。

令和三年九月

孫 向文

中国人の僕が日本に帰化した理由（ワケ）

◎目次

※文中敬称略

装幀　須川貴弘（ＷＡＣ装幀室）
取材協力　亀谷哲弘

第1章

中国人だった僕は日本のアニメに救われた

親日の僕は違う世界の住人

幼い頃から日本に移住したいと思うほどの日本好きだった僕ですが、1995年に中学生になると一つの災難が降りかかります——それは歴史科目の開始、つまり反日へイト教育の始まりです。

まず中国の反日教育は、南京大虐殺を教えるところからスタートします。なかでも、野田毅(つよし)少尉と向井敏明少尉の「百人斬り競争」の話は、中学生に教えるには早すぎるほど刺激の強い内容です。普通であればトラウマになっても不思議ではありませんが、幸いなことに僕には何のことかサッパリでした。

ただ、僕が中学生の頃は反日教育もさることながら、まず台湾＝敵ということを徹底して刷り込まれました。当時、「1、2、3、解放台湾」という遊びがあって、それを通じて子どもたちは反台感情を植え付けられたのです。「反日」より「反台湾」——いつか戦争で台湾を奪還するぞ、といった思想を少しずつ刷り込まれた。

すると、今度は反台湾のプロパガンダを抑えて、より具体的な反日教育が始まり、課外授業の一環として反日映画をたくさん鑑賞させられました。ちなみに映画鑑賞でも、やはり最初は反台湾的な国民党の批判映画を鑑賞させられ、徐々に反日映画と共に毛沢東の礼賛映画を強制的に鑑賞させられるのです。

僕が鑑賞させられた映画は、中国人の少年（共産党の象徴）が日本軍の兵士を落とし穴にはめて殲滅するという稚拙なもの。倒し損ねた兵士をパチンコ（Y字型の棹にゴム紐が張ってあり、弾とゴム紐を一緒につまんで引っ張り、手を離すと弾が飛んでいく。別名スリングショット）で次々とやっつけるシーンには、さすがのクラスメイトもあきれ顔で退屈そうでした。

そんな時は、よくトイレに行くフリをして映画館の向かいにあるゲームセンターで日本の格闘ゲームで遊んでサボったものです。ただ先生が先回りして見張っていたので、案の定、見つかって映画館に連れ戻されることも……。鑑賞後は学校に戻って必ず感想文を書かされるのですが、決まってテーマは「反日」です。必死でクラスメイトに「あのシーン、どんな感じだった？」とコソコソ聞きながらテキトーに書いていました。

また僕が中学生の頃は、中国共産党が教科書の改訂に注力していた頃でしたから、そのせいもあって、反日感情を抱く生徒が一気に増えました。僕自身、クラスメイトと価値観（対日感情）がまったく合わずビックリしました。小学生の頃は、あれほど日本のアニメに心を動かされて「日本が大好きだ」と言っていたのに、中学生になると途端に日本好きはそれに中学生の頃は最も影響を受けやすい時期です。日本では「中二病」に当たるのでしょうか。そのため反日教育の効果も大きく、特に生真面目で真っすぐな女子は男子よりも「愛国心が重要だ」「敵国・日本を倒せ」という気持ちになりやすい。むしろ男子の方が「別に、日本のアニメも特撮も面白いじゃん」といった様子で、案外柔軟に考えているのです。

そうなると、小さい頃から日本好きの僕は、同級生はおろか、クラスメイトとコミュニケーションをとることも難しくなったわけです。当時、実際に同級生の女子との会話中に思わず「日本愛」を匂わせる言葉を口にして、その直後に睨まれた経験もあります（苦笑）。

本来、中学・高校時代は友達を増やしたり恋愛をしたりと交友関係を構築する重要な時期です。そんな学生時代、いわば青春時代に同級生と意思疎通が図れなかったことは、まるで自分だけが違う世界の住人のようで辛かったです。

そんな僕は結局、中学以降もずっと日本のアニメに浸りきった生活を続けたのです。当時見ていた『きまぐれオレンジロード』（原作：『週刊少年ジャンプ』）は、超能力を持つ少年・春日恭介と不良少女・鮎川まどか、そしてまどかの後輩・檜山ひかるの奇妙な三角関係を描いた、甘酸っぱい青春ラブコメ作品。当時十四歳だった僕は、ヒロインのまどかに一目ぼれしてしまいました。彼女は、僕の〝初恋〟の相手と言っても過言ではありません。そんなこともあって、日本のことが好きだったり、日本について純粋に楽しく話し合える女の子でなければ、恋愛も上手くいかないと思うようになりました。

また『きまぐれオレンジロード』は、僕にとって日本の「ザ・青春」を知るためのバイブルとなったのです。たとえば「制服」です。僕が通っていた学校は、いつでも着られるような青いジャージでの登校が決まりでした。

ところが、どのラブコメ作品でも日本の学生は「学ラン」や「セーラー服」といった制服を着ています。それも基本的には、学生時代にしか着ることができない――そんな制服は僕にとっては憧れであり、特別な服でした。

また「性」に対して敏感な中国では、夏でも女の子は上下長袖のジャージを着ます。日本の女子学生のように、生足が見えるような服装は考えられません。それに中国では当時も今も学生恋愛は漫画でも描けないほどタブー視されています。スクールライフが描かれる日本のラブコメ作品では、必ず学生同士の恋愛が描かれるので、初めてそれを読んだ時はビックリしました。

それから面白いのは、日本の学生の間ではスポーツ万能な男子がモテるということです。学力至上主義の中国では勉強ができることが学生時代の一番のステータスになります。事実、午後は五時間授業が一般的で（一日九時間授業）、下校時刻は午後六時以降。日本のように放課後に友達と遊んだり、部活動に励むことはありません。一方、日本の学校にはいろんな部活動があって、どの部活でも活躍できる余地があって、勉強以外のことでも正当に評価される。たった一つの、それも狭い物差ししか持たない中国とは異なり、日本の学校生活は実に自由民主主義の国である日本らしい部分だと思います。

来日で初めて知った「反日教育」のウソ

そんな僕は二〇〇四年、中国で晴れて漫画家デビューを果たします。

そもそも僕が生まれた一九八〇年代、まだ中国には「漫画家」という職業はありませんでした。最初に漫画家という仕事を知ったのは、中学生の時に見たある日本のドラマがきっかけです。そのドラマは婦人警官が主人公で、彼女は平日は警察官なのですが、休日には漫画を描いて出版社に持ち込んで漫画家を目指しています。でも原稿は採用されることなく、ボツが続いていた。そんなある日、勤務する警察署で耳にした犯罪エピソードを漫画にすると、面白いと言われ日の目を見ることになったのです。警察官を続けていたことで、漫画家の夢も叶うという素敵なお話です。

彼女の机に向かってペンをインクにつけて絵を描く姿を見て「これが漫画家か」と感動したのを覚えています。

ただ中国では先に述べたように、表現上の規制が多すぎて自由な創作活動はできません。僕が小さい頃から描きたかったラブコメ作品は、日本の漫画では王道ともいえるジャンルです。でも、中国では学生恋愛はタブーですし、当然そうしたセンシティブな描写は描けませんから、日本のラブコメ漫画では定番のパンチラ描写（ラッキースケベ）も当然禁止です。また、そんな息苦しい中国を批判するような漫画も描けない。

そこで自由な創作活動を求めて二〇一三年に、日本で漫画家になるために来日するに至ったのです。小さい頃から、中国人より日本人と価値観も合うと思っていたので、日本で暮らしても問題ない――初めはそう思っていました。

しかし、そんな親日派の僕でも反日教育の影響をまったく受けていなかったわけではありません。お恥かしい話、日本へ来るまで南京大虐殺は真実だと信じていたのです。来日したばかりの頃、中国出身の大先輩である評論家の石平さんが著書『私はなぜ「中国」を捨てたのか』（ワック）で南京大虐殺を否定していたので、「なぜ嘘をつくんだろう」と思っていたほどです。

南京大虐殺が嘘だと気づいたのは二〇一四年、習近平が南京大虐殺記念日を定めるとして追悼式を行った時のことです。なぜ七十年以上も昔のことを、それほどしつこく言い募るのか。違和感を覚えてインターネットで調べてみると、とある台湾のサイトで中国では触れることのできない客観的証拠を次々に発見し、「なるほど。たしかにおかしい」と思ったのです。

その後、近現代史研究家である水間政憲先生の『完結「南京事件」：日米中歴史戦に終止符を打つ』（ビジネス社）をネットで見つけ、購入して読み、その説得力に驚きました。一番おかしいと思ったのは、被害者の人数が南京の人口（当時）と同じくらいだったことです。戦闘が終わったあと人口も増えている。大虐殺が行われているところへ、わざわざ戻って来るなんて自殺行為を誰がするでしょうか。

また先述した野田少尉と井上少尉の「百人斬り競争」が嘘だということも水間先生の本を読んで納得がいきました。あの記事は当時、戦意高揚を目的に書かれた今でいうフェイク記事で、当の本人二人がのちに記事を否定しています。それに、よく考えてみれば刀で毎日何百人もの人を斬り殺すことなど物理的に不可能です。人を斬れば刀は脂（あぶら）まみれになり、次から次へと斬り続けられませんから。

そのほかにも、赤子を銃剣の剣先で突き刺す有名な写真があるのですが、これも兵士の襟足が長いので、おそらく国民党の軍人です。当時の日本軍は、ほとんど丸刈りでしたから。こうしたフェイクに気がつけて本当に良かった。

中国人が住んでいた痕跡も証拠もない「尖閣諸島」

それは尖閣諸島も同じです。二〇一二年、中国で「尖閣諸島抗議デモ」なる大規模な反日デモが行われましたが、その頃も僕は、尖閣諸島は中国領だと信じていました。

転機が訪れたのは、日本でのデビュー作『中国のヤバい正体』（大洋図書）製作のため、日本へ打ち合わせをしに来た二〇一二年の末。担当編集者から「（僕は）尖閣諸島は日本領だと思ってますけど、孫さんはどこの国の領土だと思ってますか」と聞かれたのです。中国では尖閣諸島＝日本領と口にするのは、日本の右翼だけだと教わります。もちろん、それはあくまで中国共産党の宣伝工作で、本来日本人は右左に関係なく尖閣諸島は日本領だと思っている。しかし、そんなことを当時の僕は知る由もありませんから、中国の悪口も言わないようなノンポリの担当編集者なのに、なぜ右翼みたいなことを言い出すのか、と不思議に思ったのです。

それ以降、今まで教えられてきた「尖閣諸島＝日本領＝右翼の戯言」というロジックが崩壊したことで、これから日本で暮らしていこうというのに、今後、歴史認識で日本人と対立して日本社会に馴染めなかったらどうしよう、と不安が付きまといました。

しかし、このままにしておいても火種が残るようで気分が良くない。そこでスッキリさせるために、自らネットで調べてみたんです。

すると、とある繁体字（台湾語）のサイトに行き着きました。そのサイトには当時、日本政府が公表していた数十点の証拠資料が紹介されていて、どの証拠を誰が見ても日本領であることは明白でした。

その一つとして、日本には尖閣諸島に漁民が住んでいたことを示す資料がたくさんあります。彼らは、尖閣の近くの海で座礁した中国船から乗組員を救出し、孫文（中華民国政府）から感謝状まで受け取っています。また漁民たちの集合写真もありますし、そもそも島には漁民が暮らしていた痕跡も残っている。その一方、中国人が住んでいた痕跡もなければ、その客観的な証拠も存在しません。

それどころか、中国側が領有権を初めて主張したのは一九七二年。近海で石油などの海底資源が見つかった時期と重なると聞き、「なるほど、そういう魂胆か」と中国の主張が取るに足らないデタラメであると、日本に住んでから気づくことができたのです。まずは台湾の蔣介石が、次に毛沢東も負けじと領有権を主張しました。ちなみに、現在の蔡英文政権も蔣介石のウソを継承しており、尖閣諸島における台湾の領有権を主張しています。唯

一、客観的な見地から「尖閣諸島＝日本領」と主張し続けた台湾の誠実な政治家は、李登輝元総統だけだったのです。
ただ不思議なことに、僕が学生だった一九八〇年代の歴史・地理の教科書には、尖閣諸島の領有権に関する記述はありませんでした。中国が尖閣諸島の領有権を教科書に正式に記載し始めたのは二〇一四年——これは改定というより、むしろ改ざんですね。

日本の帰化制度は甘すぎる

そのほかにも、祖国である中国に騙されていたことは山のようにあります。

最も衝撃的だったのは来日後、中国が新疆ウイグル自治区で数百回におよぶ核実験を住民たちにきちんと告知しないまま行っていたのを初めてネットで知ったことでした。当時、『中国のヤバい正体』（大洋図書）を書く際に、担当編集者から「中国の人権弾圧と核実験について、孫さんはどう思いますか」と聞かれたのです。僕は「えっ！　そんなことあるの？」と思い、すぐにグーグルで調べました。すると、さまざまな保守論客たちが、かつて中国がどれほどウイグルの地で核実験を行ったか、そのせいでどれだけのウイグル人が被ばくしたか、詳細な情報がズラッと並んでいました。すぐには信じられず、知り合いのノンポり日本人に聞いても「孫君、あれはネトウヨが書き込んでいる妄想だから気にしないで」と言うばかり。

ただ、さらに調べてみたら中国語の情報も出てきたので、まったくネトウヨの妄想でもなんでもなかった。そして今、実際にウイグルでの人権弾圧は中国の悪行として世界中の人に認知されるまでになっています。

こうして二〇一三年に日本に来てから、中国共産党による〝洗脳教育〟の呪縛がだんだん解けていくにつれ、〝脱・中国〟の思いが強まりました。これは日本に来て中国で手に入る以外の情報に触れられなければ、絶対にできなかったことです。それは同時に、子どもの頃からの「日本に暮らしたい＝日本人になりたい」という思いが一層強まったということでもあります。

それに、実際に帰化申請をしてみると、いろいろな問題も発見できました。

まず日本では、帰化を希望する外国人が年々増加しています。その影響もあってか、今では帰化申請にかかる時間が極端に増えているのです。以前、評論家の石平さんに帰化の話を伺ったことがありますが、石平さんが帰化した十数年前の帰化の審査機関は半年ほどだったといいます。ちなみに僕が帰化にかかったのは申請から一年半ほどで、韓国出身のユーチューバー・WWUK（ウォーク）さんは二年ほどかかったそうです。つまり当時の三〜四倍にまでなっている。

そこで危険なのが、帰化する外国人が全員親日とは限らないということです。

事実、日本国籍を取得する中国人の一番多い理由は「便利だから」です。世界で一番信用されている日本のパスポートが目的の人も大勢いる。かつて立憲民主党の蓮舫議員も雑誌の取材に「今、日本人でいるのは、それが都合がいいからです。日本のパスポートは、あくまでも外国に行きやすいからというだけのもの。私には、それ以上の意味がありません」（『ジョイフル』一九九五年八号）と発言していますし、中国の立場を代弁する東アジア評論家の張景子氏もネット番組で「日本国籍を取った理由はビザが取りやすいから」と言っている。日本を愛しているからではなく、あくまで〝利用するため〟に帰化を望む人は少なくないのが現実です。

また帰化申請するにあたり、僕が受けた日本語の試験は小学校三年生レベルの簡単なテストでした。「次の漢字をひらがなに、ひらがなを漢字に直しなさい」というもので、出されたのは「新聞」「手紙」「かがく」「えがお」と簡単なものばかり。なかには指定された言葉の意味を表す文章を、いくつかの選択肢から選ばせるものもありましたが、それでも解答には困らなかった。回答時間は五分でしたが、一分で終わりました（笑）。

ちなみに、帰化申請でお世話になった行政書士の方に聞きましたが、昔は日本語の試験すらなかったとか。帰化した中国人や韓国人が親を日本に呼んだ際、日本語ができない高齢の家族も帰化を申請したら、日本語のテストを受けさせられたことで、「差別だ」と問題になって中止されたようです。どこが差別なのか理解不能です。百歩譲って日本語ができなくても、少なくともアメリカで市民権を得る際に星条旗（アメリカ国旗）に対して「忠誠の誓い」という忠誠心の宣誓を行うように、日本でも日章旗や旭日旗に対し、日本国民として日本に貢献していくことを誓わせるべきではないでしょうか。いくら個人に自由や権利があるとはいえ、自分が移り住む国の国旗にお辞儀をしたり、敬意を払えないような外国人に易々と帰化を認めるというのは、日本の安全保障を脅かすことに等しいと思います。

こうして来日から八年——漫画家になる夢を叶えると同時に、日本人になることができました。あらゆる中国の洗脳から解放された今、中国出身を武器に言論人の端くれとして中国の虚像に日本人が騙されないようにするための言論活動を行っていきます。その一環として、本書では日本のアニメに救われた漫画家の僕が、今まで読んできた日本の漫画やアニメから学び、気づいたことを語り描いていきたいと思います。

第2章

「善と悪は表裏一体」という日本人の「正義」観

「不殺仕事人」

お待たせしました
もぐもぐ

死ね！

キャー

お侍さん
この人は…
安心せい
峰打ちじゃ

どうして
刺客を殺さないの？
中国の作品だと
思い切り敵に
止めを刺さないと
観客の気が
済まないよ
それはな
……えっと
武士の情けって
やつかな
ハハハ
なにそれ

敵を殺さない日本アニメ

二〇一六年四月二十八日、中国のウェブメディア、騰訊網(テンセント)が、「どうして日本のアニメの主人公は敵に対してあまりにも優しいのか」というタイトルの記事を掲載しました。

記事の内容は、日本の多くのアニメ作品の主人公たちは、「ラスボス」(最後の敵キャラ)を倒すために大きな困難を味わったはずなのに、なぜクライマックスになると、ラスボスを殺したりはせず、助けようとするのか？　というもので、この記事は中国のアニメファンの間で大きな話題となりました。

アニメに限らず、漫画やドラマでも「日本の作品の主人公は敵に優しすぎる」というのは、中国人共通の見解のようです。上述のテンセントの記事を受け、中国のネット掲示板には、「主人公の優しさや勝者の余裕を強調するためだ」「暴力や殺害を好まない、現代社会らしい風潮だ」と称賛する声、「主人公は何を考えているんだ？」「ときどき彼ら(日本のクリエイター)の考えていることが理解できなくなる」という疑問、あるいは「殺されない敵キャラはたいてい美男美女だ」「キャラを生かしておけば、後で再登場させられるからな」といった皮肉じみた考察など、さまざまな意見が寄せられました。

以前の僕は、日本の作品の主人公が敵を殺すことをためらう理由は、「憲法九条」が主な要因だと思っていました。太平洋戦争終結後にアメリカ率いるGHQ（連合軍最高司令官総司令部）の主導で制定された日本国憲法の第九条は、ご存じのように平和主義の名の下に戦争の放棄、戦力の不保持、交戦権の否認を唱えたものです。

日本の左派政党や反体制主義者が絶対視する憲法九条ですが、これは太平洋戦争時の旧日本軍の手強さを知ったアメリカが、日本が再び軍事大国化することを防ぐために制定したもので、いわば日本を「守る」のではなく「骨抜き」にするためのものであることが、後の調査により判明しています。

憲法九条がもたらした「武力・戦い＝悪いこと」という思い込みの風潮は、現在でも日本の社会に深く根付いています。僕がテンセントの記事を読んで「憲法九条の効果だ」という内容をSNSに書き込んだところ、一人のフォロワーが、漫画『**ドラゴンボール**』（※**1**）の主人公・孫悟空が、劣勢となった敵キャラのフリーザを見逃そうとして、にもかかわらず背後から不意打ちしたフリーザにトドメをさした悟空が、激怒するどころか哀れみのような表情を浮かべた場面をアップしました。フリーザは悟空の故郷である惑星ベジータを破壊し、父・バーダック（※**2**）と親友・クリリンの命を奪った、いわば最大の宿敵とも言える存在。そのような相手を悟空は救おうとしたのです。

ドラゴンボールに限らず、日本の人気作品の主人公の大半が、敵の命を奪うことを避ける傾向があります。例えば『週刊少年ジャンプ』で連載中の『**約束のネバーランド**』（※3）という作品では、人間たちの捕食者である「鬼」を絶滅させようとする計画に反対し、彼らとの共存を求める主人公・エマの葛藤が描かれています。過去の作品でも『**寄生獣**』（※4）や『**東京喰種トーキョーグール**』（※5）は、人間と異生物の争いを描いた作品ですが、両作品の共通点は、最終的に主人公たちが異生物たちを駆逐するのではなく共存の道を選ぶことです。

日本の作品のキャラが「優しすぎる」のは、どうやら憲法九条の影響だけではなさそうです。

中国政府の洗脳を解いてくれた日本作品

以前、僕が「なぜ、日本の作品のキャラは人を殺さないのか？」と、日本の知人たちに聞いたところ、日本には敵も尊重するべきだという意味の「武士の情け」という思想があること、恨みを持って死んだ人物が後日災いをもたらすという「怨霊信仰」があることを知りました。また、現在の作品は女性や子供のファンを意識したものが多いため、主人公側のキャラが残虐な行為をすると読者からの反発を招くのではないかという心配もあったそうです。さらに、本書を手がけるにあたって、担当編集者の方から二本の作品を観ることを勧められました。

アニメ『**機動戦士ガンダム**』（※6）は、宇宙移民が設立したジオン公国と地球連邦との争いを描いた作品ですが、ジオン公国が戦争を仕掛けた原因は、主人公のアムロ・レイが所属する地球連邦が宇宙移民に対して圧政を敷いたことです。また、漫画『**るろうに剣心**』（※7）の主人公・緋村剣心は不殺（ころさず）の誓いを立てているのですが、それは彼が幕末期に維新の志士として幕府側の人間を数多く殺したことが理由です。剣心は新時代到来のために戦ったのであり、いわば「正義と自由」のために「人斬り」を行いました。僕からすればやむをえないことだと思うのですが、剣心は自らを戒めるため刃が自らに向いた「逆刃刀」を使うのです。似たようなテーマの作品として『**猫侍**』（※8）という、とある理由で人を斬れなくなった武士を主人公にしたドラマが存在します。

ほかにも、日本の漫画やアニメでは主人公が属する組織が悪事を働き、敵側が自由や平和を勝ち取るために戦っているという設定も多々見られます。主人公や仲間たちが自分たちの戦いの意味に苦悩したり否定したりする場面は、日本の作品の定番になっています。対して、欧米の一般的な作品は単純な勧善懲悪劇になっていて、敵を問答無用で殺害する場合も多い気がします。幼少期の僕は『バットマン』や『スパイダーマン』などのアメリカ製のヒーローアニメが好きだったのですが、内容は悪党が主人公にこらしめられるという話を繰り返すもので、成長するにつれ、その内容の単調さに退屈さを感じるようになりました。

日米の類似作品を比べれば両者の違いは明らかです。例えば、アメリカのSF映画『**ロボコップ**』（※9）は日本の「**東映メタルヒーローシリーズ**」（※10）が元ネタとなっているのですが、ロボコップとなった主人公マーフィーが犯罪者を容赦なく「殺害」するのに対し、東映メタルヒーローシリーズの一作である『**特警ウインスペクター**』（※11）の主人公チームは、災害や犯罪から人々を「救助」するという、マーフィーとは真逆の活動を行っています。また、デジタルゲームでも、アメリカでは戦争をモチーフにしたFPS（一人称のシューティングゲーム）や『**フォートナイト**』（※12）『**PUBG**』（※13）のようなバトルロイヤル（殺し合い）形式のアクションゲームが人気を博していますが、日本は複雑な設定を持つRPGやアドベンチャーゲームが主流です。

日本の漫画やアニメが、世界に類をみないほどの独自性と多様性を有しているのは、日本人特有の慈愛ともいえる優しさ、勧善懲悪では割り切れない複雑な思考がベースになっているためだと思います。

僕は日本の作品から日本人の精神性を知ったのですが、それと同時に中国政府が日中戦争時に起きたと吹聴（ふいちょう）する「南京大虐殺」の情報を疑うようになりました。相手に対するいたわりの心を持つ日本人が、敵国の人間とはいえ、一般市民をむやみに虐殺するはずはないでしょう。第一、装備が潤沢（じゅんたく）ではなかった旧日本軍に、人々を殺すためだけに長い時間と手間をかける余裕などありません。南京大虐殺は、中国側によるプロパガンダのための誇張・捏造（ねつぞう）と考えるのが妥当だと思います。

日本の作品は、僕を中国政府による洗脳から救ってくれたのです。

ダークヒーローにカッコ悪い主人公

日本の作品、特に青年向けや大人向けの作品の場合、純粋な正義の味方とは言えないキャラが主人公になっている例が多々あります。

例えば、『シティーハンター』（※14）の冴羽獠（さえばりょう）はプロのスイーパー（始末屋）で、日本作品の主人公としては例外的に、ためらいもなく殺人を行うことがあります。その一方、女好きで、しょっちゅう女性にいたずらをして怒られるなど、優等生型の主人公とは相反するキャラ設定によって、読者に親近感を持たせることに成功しています。

『DEATH NOTE』（※15）の夜神月は、元々は正義感の強い品行方正な人物ですが、殺したい人間の名前を書けばその命が奪えるデスノートを手に入れたことから、悪党や犯罪者たちの処刑を開始しました。物語が進むにつれ、親しい人物を殺害するなど、夜神月の正義感は暴走してゆくのですが、彼の目的はあくまでも「平和な世界」を実現することであり、悪党が減少したことにより犯罪率が大幅に低下するなど、日本の強力な司法機関の役目を果たしたという皮肉な結果が語られます。もし『DEATH NOTE』が海外で作られた作品ならば「主人公が悪党を次々と成敗してゆく」という単純な勧善懲悪ものになっていたように思えます。『DEATH NOTE』は、「正義と悪は表裏一体」「絶対的に正しいことなど存在しない」という日本人の思想を反映した名作だと僕は思います。「ダーク・ヒーロー」とでも呼ぶべき冴羽獠や夜神月は、日本の作品のヴァリエーションを増やすための貴重な存在です。

また、アメコミのヒーローはたいてい筋骨隆々の強者であるのに対し、日本作品の場合は「カッコ悪い」「情けない」主人公が多いことも特徴です。例を挙げると、『いぬやしき』（※16）の主人公・犬屋敷壱郎は、家族や同僚から邪険に扱われている冴えないサラリーマンという設定で、『Re：ゼロから始める異世界生活』（※17）の主人公・菜月昴は不登校の引きこもりで、異世界に召喚された後も自身の行動が原因で人々から迫害されるという悲惨な経緯を持つ人物です。『**Dr.スランプ**』（※18）の**則巻アラレ**（※19）のように、見た目は可愛らしいヒロインが「汚れ役」を演じることも珍しくありません。『**ドラえもん**』（※20）の**野比のび太**（※21）など、主人公クラスの人物を弱者にして笑いのネタにするというのは、ギャグ、コメディ系の作品では古くからある手法ですが、日本ではシリアス系の作品にもその手法が採用されます。主人公が完璧な能力の持ち主の場合、漫画の読者やアニメの視聴者からすれば「憧れの対象」にしかなりませんが、大きな欠点があれば「親しみを感じる」ことができるでしょう。カッコ悪い主人公たちは、ファンの傍らに寄り添うのです。

主人公より魅力的なライバルたち

主人公以外にも、魅力的なキャラクター性を持つライバルが多く登場するのも、日本作品の特徴です。

それまでの悪役が、なんらかの理由で主人公と共闘し、仲間に近い関係になるという展開は、日本の漫画やアニメでは定番になっています。主人公が強大な敵と戦っている最中、かつての悪役が現れ、「勘違いするな！　貴様を倒すのは、この俺だ！」といった感じのセリフ（言い訳？）を言って共闘するといった場面は、使い古された感さえあります。
僕は小学生のころ、中国で放送されていた**『聖闘士星矢』**（※22）という日本のアニメの大ファンだったのですが、同作に登場するフェニックス一輝は、当初は主人公たちの敵で、のちに改心して仲間になるというライバルキャラの典型ともいえます。弟であるアンドロメダ瞬がピンチになるたびに一輝が駆けつけるというのは、アニメ版星矢のお約束となっており、瞬が女性的な容姿であることも重なって、当時の僕は一輝が登場するたびに頼もしさを感じていたのです。

日本の知人たちから話を聞いたところ、前述の『ドラゴンボール』に登場する**ベジータ**（※23）、「ガンダムシリーズ」に登場する**シャア・アズナブル**（※24）などが、ライバルキャラの代表格になっているそうです。超天才の主人公に比べると才能や実力で一歩劣るベジータやシャアは、ナンバー2ゆえの苦悩や葛藤が物語内で描かれることが多く、それが大きな魅力になっています。

ライバルキャラは、時に主人公と同等、もしくはそれ以上の人気を博すことがあり、ガンダムシリーズに登場するキャラの人気投票を実施したところ、一位シャア・アズナブル、二位クワトロ・バジーナ（**『機動戦士Zガンダム』**〈※25〉に登場する別名のシャア）、三位シャア・アズナブル総帥（**『機動戦士ガンダム 逆襲のシャア』**〈※26〉に登場するシャア）と、同一人物がベスト3を占める結果になったことがあるそうです。

別の知人からは『美味しんぼ』（※27）の海原雄山、「刃牙シリーズ」（※28）の範馬勇次郎、『DRAGON QUEST ―ダイの大冒険―』（※29）のバランなど、主人公の父親がライバルとして現れるというのも、日本の作品ではよくある設定だと聞きました。強大な力を持つ彼らは、当初は傲慢な暴君として主人公の前に立ちふさがるのですが、戦っていくうちに徐々に互いを認めるようになってゆき、最終的には敵というより主人公が乗り越えるべき目標となるというのがお決まりのパターンだそうです。

知人いわく、日本の作品に彼らのような「最強オヤジ」が登場する理由は、日本の家族制度にあるようです。太平洋戦争以前まで日本の家庭では、家長である父親が絶対的権力を持ち、妻や子供たちが逆らうことは許されなかったそうです。戦後に欧米風の男女平等思想が取り入れられたことなどによって、その風潮は薄らいでいったのですが、それでも「父親が家族で一番偉い」という考えが日本には根付いているからではないか、というのが知人の見解です。現代では、世界中の左派・リベラル層が、妻や子供の権利の名の下に父親の権限を奪い去ろうとしています。しかし、間違ったことをしたら叱りつける時には怖い父親がいるからこそ、母親は安心し、子供は成長できるのだと僕は思います。強い父親がいた方が家庭は安定するのです。

また、これは僕が個人的に調べた話なのですが、『**あしたのジョー**』（※30）の力石徹や『**北斗の拳**』（※31）のラオウは、ライバルキャラながら絶大なカリスマ性を持ち、彼らの死（もちろん作中での）を悼んで、なんと現実の世界で葬式が行われたそうです。漫画のキャラを弔うとは、「物に命が宿る」というアニミズムが根付いている日本らしい発想ですが、そのキャラクター性が強烈だったからこそ、現実世界の人間に葬儀を行わせるほどの衝撃を与えたのでしょう。

フリーザは悪役なのになぜ人気があるのか

前述したように、僕が幼少期に視聴していたアメリカのヒーローアニメに登場する悪役は、とりたてて特徴のないステロタイプなキャラが大半で、強く印象に残るキャラは、ほとんど存在しませんでした。それに対して日本の漫画、アニメの悪役は複雑な設定を持つものが多いのです。

本書を手がけるにあたり、僕は参考までに漫画版『ドラゴンボール』を全巻読破しました。物語に登場する前述のフリーザは、多くの惑星を滅ぼしたほどの大悪党であるにもかかわらず、部下に対しても敬語で接するなど、妙に物腰が丁寧です。外見も小柄で、とても強そうには見えず、僕は「宇宙の帝王」という彼の立場とのギャップに驚きました。「最強の敵キャラなのに見た目が弱そう」というフリーザの設定は、後の作品に多大なる影響を与えたようです。余裕があるうちは紳士然とした態度をとっていたフリーザですが、自分が追い詰められていくと取り乱して口調が乱暴になってゆき、いよいよピンチになると敵である悟空に命乞いしたりして、妙に小物くさい部分があり、このあたりにも僕は面白さを感じました。

フリーザは、二〇一八年に公開された劇場版（※32）にも主要キャラとして登場するなど、『ドラゴンボール』の悪役の中で屈指の人気を誇っています。それはフリーザが持つ複雑な設定に、多くの人々が魅力を感じているからではないでしょうか。

鳥山明『ドラゴンボールZ アニメコミックス 超サイヤ人・フリーザ編 巻一』集英社ジャンプコミックスDIGITAL　下・左がフリーザ、右がベジータ

他にも僕はインターネットで過去の日本の漫画・アニメの悪役たちを調べたのですが、『ダイの大冒険』に登場する大魔王バーンや『**ジョジョの奇妙な冒険**』（※33）に登場するディオ・ブランドー（DIO）などが、カリスマ悪役と

して絶大な人気を誇っているようです。

『ダイの大冒険』の物語の冒頭、大魔王バーンの目的は世界征服だと語られるのですが、後に「黒の核晶（コア）」と呼ばれる爆弾で地上を全て吹き飛ばすことが真の目的であることが判明します。この極悪非道の行為にも理由があって、バーンの故郷の「魔界」は闇に覆（おお）われた地中に存在しており、彼は生命の源である太陽の光を手に入れるために地上を吹き飛ばそうとしていたのです。バーンは人間側からすれば絶対悪ですが、部下である魔族からすれば「正義の救世主」なのです。まさに「善悪は明確に区別できない」という日本の作品を象徴する悪役と言えるでしょう。

ＤＩＯは『ジョジョの奇妙な冒険』第一部から登場するキャラで、貧民街出身者という立場から貴族の家庭に取り入って成り上がろうとします。第一部の中盤でＤＩＯは吸血鬼と化し、その後人間の敵となります。自分が助かるためなら平気で他人の命を奪い、戦いに卑怯（ひきょう）な手段を使うＤＩＯは、前述したフリーザと同じく完全なる悪党なのですが、スタイリッシュな風貌（ふうぼう）と時おり放つ哲学的な言葉などから、「ジョジョシリーズ」全体に大きな影響を与えるキャラとなっています。余談になりますが、ジョジョシリーズは特徴的なセリフや擬音が多く、僕はＤＩＯの「貧弱貧弱ゥ!!」「無駄無駄無駄無駄無駄無駄！」といったセリフを読んで、つい笑ってしまいました。

本書の編集者が最も印象に残っている悪役は、RPGゲーム『**ドラゴンクエスト4**』（※34）のラスボス、デスピサロだそうです。編集者いわく、通常、RPGゲームのラスボスは私利私欲のために世界征服などを企みますが、デスピサロが人間を滅ぼそうとしたきっかけは、ロザリーという恋人が人間に殺されたことです。物語終盤、デスピサロは「進化の秘法」というアイテムを使って怪物化します。主人公たちと対峙（たいじ）した際、デスピサロはすでに記憶を失っており、憎悪のみが残っている状態になっています。しかも、ロザリーを殺したのは実は人間ではなくデスピサロの部下の策略だったという設定で、当時小学生だった編集者はやるせない気持ちになったと語っていました。ドラゴンクエストは低年齢層の間で人気が高いゲームですが、倒すべきラスボスに悲劇的な設定を与えた日本のクリエイターには驚かされます。

近年、アメコミを原作としたハリウッド映画が多数公開されていますが、『**ダークナイト**』（※35）のように悪役が主人公より目立っていたり、『**ヴェノム**』（※36）のように、悪役そのものをメインにした作品も制作されています。これは善悪では割り切れない魅力を持つ日本作品の悪役に影響を受けた結果かもしれません。

「日本の作品をパクれ」

日本の作品は一言では言い表せない多種多様さが最大の特徴であると、僕は思います。

さらに言うと、日本の作品の根幹は日本人の宗教観にあると考えます。

「八百万の神」という言葉があるように、日本にはあらゆるものに神が宿るという考えが存在します。日本神話には多くの神々が登場し、物語も天岩戸に隠れた天照大神を天宇受賣命がダンスを踊って誘い出すなど、言ってみれば微笑ましいものも多く、神々の争いなどはほとんど描かれません。このような寛容な宗教観があるからこそ、古来、日本では外国の文化を素直に取り入れる伝統が存在し、多種多様な作品の源になったのでしょう。

その一方、キリスト教やイスラム教は、神は唯一無二の存在（※37）だという認識です。宗教学を専攻した日本の知人によると、聖書に登場する悪魔の多くが、かつて他の宗教で神と崇められていた存在だったそうです。欧米の作品の雰囲気がどこか画一的なのは、そのような排他的な思想が根底にあるためではないでしょうか。

中国の場合、かつては土着の儒教や道教、外国から伝来した仏教など、日本と同じくさまざまな宗教や思想が混在していました。だからこそ、『西遊記』や『水滸伝』のような現代まで伝えられる名作が誕生したのです。

しかし、一九四九年に中国共産党による中華人民共和国が誕生して以降、中国国内では宗教的行事は次々と禁止され、一九六六年にはじまった文化大革命によって伝統的な文化はほとんど根絶やしにされました。そのため、現在の中国には独自の作品を生み出す土壌（どじょう）が存在しません。僕が中国の企業でイラストレーターとして働いていたとき、上司からよく言われた言葉は「日本の作品をパクれ」でした。宗教観が失われたからこそ、中国は世界一の「文化パクリ大国」になってしまったのです。

日本では、中国の古典をモチーフにした佳作（※38）が次々と生み出されています。これは、中国出身である僕にとっては恥ずかしい状況だと思います。それと同時に、伝統的な宗教心が根付き、なおかつ外国の文化を積極的に受け入れる日本という国の作品の素晴らしさに、あらためて感嘆させられるのです。

（注釈）

※1 ドラゴンボール（原作・鳥山明（とりやまあきら））七つ揃えば願いが叶（かな）うという「ドラゴンボール」をめぐる孫悟空と仲間の大冒険を描いた作品。『週刊少年ジャンプ』（集英社）に一九八四年から九五年まで十年半にわたって連載された。世界中で人気を博しており、二〇一八年に制作された劇場版『ド

ラゴンボール超(スーパー) ブロリー』は全世界で大ヒットを記録した(※32参照)。
※2 孫悟空の父であるバーダックの最期は、一九九〇年のテレビスペシャル『ドラゴンボールZ たったひとりの最終決戦』と劇場映画『ドラゴンボール超 ブロリー』で描かれている。
※3 約束のネバーランド(原作・白井カイウ 作画・出水(でみず)ぽすか) 「鬼」と呼ばれる生物に食用として育てられた子供たちが、その宿命に抵抗する物語。二〇一六年~二〇年まで『少年ジャンプ』に連載された。二〇一九年一月からテレビアニメ版が放送された。
※4 寄生獣(原作・岩明均(いわあきひとし)) 人間に寄生する生物と人類との争いのなかで、生物に寄生された少年の奇妙な共生生活を描くSFアクション。一九八八年~九五年まで『モーニングオープン増刊』『月刊アフタヌーン』(講談社)に連載された。テーマ性の高さ、ハードな描写から国内外で高い評価を受けている。
※5 東京喰種トーキョーグール(原作・石田スイ) 社会にまぎれ込んで人間を喰らう正体不明の「喰種(グール)」の恐怖を描くダーク・ファンタジー。主人公・金木研(かねきけん)は、喰種(グール)の臓器を移植された半喰種(はんグール)。二〇一一年~一四年まで『週刊ヤングジャンプ』(集英社)に連載され、一七年には実写映画化もされた。
※6 機動戦士ガンダム(総監督・富野喜幸(とみのよしゆき)〈現・富野由悠季(よしゆき)〉) 地球連邦と独立を企むジオン公国の戦争を描いたSFロボットアニメ。一九七九年から名古屋テレビ、テレビ朝日系列で放映され

た。リアリティある描写、ロボットを「通常兵器」とみなす設定は多くの作品に影響を与えた。

※**7 るろうに剣心**（原作・和月伸宏）明治時代の日本を舞台に不殺をつらぬく剣客・緋村剣心を主人公とした活劇漫画。『週刊少年ジャンプ』で一九九四年から九九年にかけて連載された。二〇二一年現在「北海道編」が『ジャンプスクエア』（集英社）で連載中。

※**8 猫侍** 北村一輝が演じる元凄腕の剣客・斑目久太郎を主人公にした二〇一三年放送の時代劇ドラマ（東名阪ネット6、5いっしょ3ちゃんねる加盟局などでオンエア）。斑目が人を斬れなくなった理由は、切腹の介錯を拒んだためだと、二〇一四年公開の劇場版で説明されている。

※**9 ロボコップ**（監督 ポール・バーホーベン） 一九八七年に公開されたアメリカ映画。近未来のデトロイト市を舞台に、殉職した警官の生体部分を使って開発されたサイボーグ警官「ロボコップ」の活躍と悲哀を描くSF作品。九〇年、九三年に続編が、二〇一四年にリメイク作品が公開されている。

※**10 東映メタルヒーローシリーズ** 一九八二年～九九年までテレビ朝日系列で放送された特撮ドラマ作品の総称。主人公がロボット、もしくはメタリックなプロテクターを着用していることがシリーズ名の由来。

※**11 特警ウインスペクター** 一九九〇～九一年にテレビ朝日系列で放送されたメタルヒーローシリーズ第九作。敵が超常的な存在ではなく人間の犯罪者であることが特徴。直接的な続編であ

る『特急司令ソルブレイン』『特捜エクシードラフト』と合わせて「レスキューポリス三部作」と呼称され、いずれも高いドラマ性が評価を得ている。

※12 **フォートナイト**　Epic Gamesが販売・配信するアクションゲーム。類似ゲームに比べて建築的な要素やコミカルなキャラデザインが特色となっている。欧米圏を中心に爆発的なブームをひきおこした。

※13 **PUBG**（PLAYERUNKNOWN'S BATTLEGROUNDS プレイヤーアンノウンズ・バトルグラウンズ）　PUBG Corporationが開発したアクションゲーム。「徐々に狭くなるフィールド」「武器をフィールド上で調達する」など、後のバトルロイヤル系ゲームに多大なる影響を与えた。

※14 **シティーハンター**（原作・北条司）　プロのスイーパー・冴羽獠の活躍を描く漫画。内容が青年誌チックで、『週刊少年ジャンプ』掲載作品の中で異彩を放っていた（一九八五年～九一年まで連載）。二〇一九年二月に新作劇場版アニメ『新宿プライベート・アイズ』が公開された。

※15 **DEATH NOTE**（原作・大場つぐみ 作画・小畑健）　名前を書いただけで人を殺せるデスノートを持った夜神月と、彼の殺戮を阻止しようとする人々の物語。二〇〇三年～〇六年まで『週刊少年ジャンプ』に連載され、複雑な論理と膨大なセリフは多くの読者を驚かせた。

※16 **いぬやしき**（原作・奥浩哉）　異星人によってサイボーク化された中年男性と、同じくサイボーグとなって殺戮を繰り返す少年の戦いを描く。二〇一四年～一七年まで『イブニング』（講談

社）で連載。一七年にテレビアニメ化、一八年に実写映画化された。

※17 **Re：ゼロから始める異世界生活**（原作・長月達平）二〇一二年から投稿サイト「小説家になろう」で連載を開始したライトノベル。「死に戻り」と呼ばれる時間巻き戻し能力を持つ少年が主人公。一六年にテレビアニメ化。二〇二〇年にテレビアニメ第二期が放送開始予定。

※18 **Dr.スランプ**（原作・鳥山明）ペンギン村という架空の地域を舞台にしたスラップスティック・ギャク漫画。一九八〇年〜八四年まで『週刊少年ジャンプ』に連載。ポップな色使いや高度にデフォルメされたキャラが人気を呼び、連載時に大ブームとなった。

※19 **則巻アラレ**　『Dr.スランプ』の主人公。則巻千兵衛博士によって作られた少女型ロボット。ヒロインなのに眼鏡をかけている、ウンチが大好きといった設定は、連載当時は斬新だった。

※20 **ドラえもん**　原作・藤子・F・不二雄　一九六九年より小学館の各学年誌で連載開始した、日本の児童漫画の金字塔的作品。二十二世紀の未来からやってきたロボット・ドラえもんとなにをやってもダメな少年・のび太による物語は、世界中の子供たちにセンス・オブ・ワンダーを伝えた。二〇一九年十一月に、各誌の最終回を収録した「0巻」が発売された。

※21 **野比のび太**　『ドラえもん』の主人公は、ドラえもんかのび太か意見が分かれることがあるが、劇場版のサブタイトルは必ず「のび太の〜」という冠が付いている。

※22 **聖闘士星矢**（原作・車田正美）「聖衣（クロス）」と呼ばれる甲冑を身にまとって戦う「聖闘

士（セイント）」の戦いを描いた作品。のちに多発する「美少年たちがチームを組んで悪に立ち向かう」という内容の先駆けとなった。一九八五年～九〇年まで『週刊少年ジャンプ』に連載。

※23 ベジータ 惑星ベジータの王子にしてサイヤ人の超エリート戦士。当初は下級戦士出身の孫悟空を見下していたが、実力が追い越されたことを機に乗り越えるべき目標と見なすようになる。劇場版映画『ドラゴンボール超（スーパー） ブロリー』で正式名が「ベジータ4世」であることが判明した。

※24 シャア・アズナブル 『機動戦士ガンダム』ではジオン軍の将校であるが、実はジオン公国を支配するザビ家に父を殺されたため（異説あり）、水面下で復讐を計画しているという設定。後の作品で、ネオ・ジオン軍の総帥として地球連邦に攻撃を仕掛ける。

※25 機動戦士Ζガンダム（総監督・富野由悠季）『機動戦士ガンダム』放送終了（一九八五年）の五年後に制作された続編。主人公が精神崩壊するなど重苦しいストーリー展開に、放送当時は賛否両論があった。

※26 機動戦士ガンダム 逆襲のシャア（監督・富野由悠季） 一九八八年に公開された劇場アニメ作品。ララア・スンという女性をめぐる、アムロ・レイとシャア・アズナブルの因縁（いんねん）の結末を描く。

※27 美味しんぼ（原作・雁屋哲（かりやてつ） 作画・花咲（はなさき）アキラ） 一九八三年に『週刊ビッグコミックスピリッツ』（小学館）で連載開始されたグルメ漫画。自然食品の素晴らしさや添加物の危険性を警告する内容

は、日本人の食生活に大きな影響を与えた。

※28 刃牙シリーズ（原作・板垣恵介）一九九一年に『週刊少年チャンピオン』（秋田書店）で連載を開始した『グラップラー刃牙』を第一作とする格闘技漫画シリーズ。「地上最強の生物」である父・範馬勇次郎を乗り越えようとする範馬刃牙の奮闘を描く。

※29 DRAGON QUEST ―ダイの大冒険―（原作・三条陸　作画・稲田浩司）テレビゲーム「ドラゴンクエストシリーズ」を元ネタにした漫画。一九八九年～九六年まで『週刊少年ジャンプ』で連載。作中に登場する特技の多くが、後のゲーム版に「逆輸入」された。

※30 あしたのジョー（原作・高森朝雄〈梶原一騎〉　作画・ちばてつや）一九六七年～七三年まで『週刊少年マガジン』（講談社）に連載されたボクシング漫画。非行少年だった矢吹丈がボクシングに目覚め、強敵・難敵と闘っていく姿を描く。最終回の壮絶なラストシーンは、現在でも語り草になっている。

※31 北斗の拳（原作・武論尊　作画・原哲夫）核戦争後の荒廃した世界を舞台にしたバイオレンス・アクション漫画。連載当時（一九八三～一九八八）は『週刊少年ジャンプ』の看板作品となり、他誌に多くの亜流作品が登場した。

※32 二〇一八年十二月に日本で公開された『ドラゴンボール超　ブロリー』。激しいバトル描写が特徴で、全世界で興行収入百三十五億円を突破した（二〇二一年五月現在）。

※33 ジョジョの奇妙な冒険（原作・荒木飛呂彦（ひろひこ））　一九八六年から『週刊少年ジャンプ』で連載開始。ファッション性の高いキャラ、個性的な擬音、「強さ」ではなく「能力の使い方」で勝敗を決める「スタンド」という概念など独自の要素が多く、熱狂的なファンが多いシリーズである。

※34 ドラゴンクエスト4　一九九〇年にオリジナル版が発売されたテレビゲーム。オムニバス形式の構成、AI（人工知能）の採用、暗いストーリー展開など、当時としては斬新な試みが多く取り入れられた。

※35 ダークナイト（監督　クリストファー・ノーラン）　二〇〇八年に公開されたクリストファー・ノーラン監督『バットマン・ビギンズ』に続く「バットマンシリーズ」第二作。「正義とは何か？」をテーマにした重厚なストーリー展開が評価され、世界中で大ヒットを記録した。

※36 ヴェノム（監督　ルーベン・フライシャー）　二〇一八年公開。「スパイダーマンシリーズ」の悪役であるヴェノムを主人公にしたダーク・ヒーロー映画。

※37 ユダヤ教、およびそこから派生したキリスト教やイスラム教の教義には、神は「YHVH（ヤハウェ）」という一つの存在だけだと記されている。

※38 明の時代に成立した物語『西遊記』をモチーフにした『ドラゴンボール』、同じく明代の小説『三国志演義』をモチーフにした『蒼天航路（そうてんこうろ）』（作画・王欣太（きんぐごんた））、始皇帝の中華統一を漫画化した『キングダム』（原作・原泰久（はらやすひさ））など。

第3章

女性を敬う「愛の国」日本

日本のアニメをパクってみたら大失敗

日本鬼子(リーベングエイズ)のこのアニメはバカ売れてるパン
わしらもパクってみよう
你的名字。

国が3億元で支援するぞ
謝々(シエーシエー)頑張ります!
国酒茅台

鬼子の作品を超えるような映画を撮ります!
映画監督

「紅線奇縁」の撮影現場
えっと今日は上の人が視察しにくるから
みんな精一杯頑張れよ
おお———っ!!
经纪人

広電総局の趙局長がご到着です
みんな整列！
熱烈歓迎！

おお
面白そうな撮影現場だパン

もっと気持ちよさそうな表情でもっと色っぽく
このシーンは目玉だぞ

趙局長もうすぐスタジオに入るぞ
良い演技を局長に見せてくださいメンマちゃん
はーい
「紅線奇縁」テイクワン！
趙局長
こちらへどうぞ

ああん
何～この柔らかい
体♡
モミ
モミ
朝起きたら女の子に
なっちゃった俺……
いったい どういうこと?
気持ちいい♡

何!?
この破廉恥な
演出!
カット
カットだパン!

教育に良くないだろう!
観客の子供がモノマネ
しちゃうパン!
局長も毎日
AVを観てる
くせに

翌日

男みたいに
思いきり
蹴ってください
監督、なんで
高校で撮影する
パン？
この映画は
ラブコメだよね？

高校生の
主人公とヒロインの
ラブラブシーンが
たっぷりですよ
高校生の恋愛は
ダメだろ⁉
大学生…いや
社会人に変更
しろパン！

次の日

ワハハハ なんと美しい舞踊だパン♪
これは山の神を祭る儀式のシーンです

神!?
※封建迷信を宣伝するようなシーンはダメだろ?
ただ、せっかくの美人の舞踊、カットしたらもったいない
俺が代案を考えてやる うーん……

この2枚の写真を
神棚に置いたら
セーフ
BGMは
「偉大なる指導者への
忠誠を誓い」のテーマの
歌詞も入れ替えて

撮影再開
毛主席
赤い太陽♪
両親より親しみ
優しい習大大♪
習大大♪習大大♪
みんな支持
みんな褒め
共産党の恩
一生忘れない

ハハハハッ
美人の舞踊がサイコー
若者に愛国主義教育も
できるし、一石二鳥だパン！
俺 天才だパン
私の作品
ではない……

終盤の撮影
このシーンは3人でハラハラ・ドキドキの雰囲気を演じてください
はーい

えっと、まずは李くんが変電所に設置した爆弾を破裂させるシーンから始まる……
爆弾だと!? それはテロ行為じゃないかパン!

監督 お前は規制リストを勉強し直しなさい!
いや……しかしこのシーンがないと次の展開に繋がりませんよ
次のシーンはどんな展開だパン?

えっと 彗星が村に落ちて 大爆発して 村民約300人は 全員死んだ
なんだと!!
死亡人数が35人を 超えたら 重大事故と扱うパン 報道規制だパン!
村長が辞職に なるパン!
まあ、一応、自然災害扱いなので いいでしょう?
とにかく 終盤からの脚本を 書き直せパン!!

……そんな 物語の因果関係が めちゃくちゃに なるじゃん
知るもんか!

地位や財産より「純愛」

二〇〇〇年代初頭、中国で日本製ドラマ『**魔女の条件**』（※1）の海賊版ＤＶＤが流通して、大きな反響を呼びました。

『魔女の条件』の内容は、高校の女性教諭である広瀬未知（松嶋菜々子）が教え子の黒澤光（滝沢秀明）を愛してしまったがゆえに逃避行を続けるというものです。現実の世界ではタブー視されている「教師と生徒の恋愛」の物語は、日本の作品ではよくあるパターンで、八〇年代の漫画『**めぞん一刻**』（※2）をはじめ、九〇年代には『**高校教師**』（※3）、二〇一〇年代には同名の漫画を原作とした『**中学聖日記**』（※4）、『**先生！、、好きになってもいいですか？**』（※5）というドラマや映画が大きな話題となったそうです。

中国で『魔女の条件』が話題になった理由は、タブーを描いたからではなく、主人公・未知の恋愛観でした。未知には北井大というエリート銀行員の婚約者がいるという設定です。しかし、作中の未知は将来が約束された大との婚約を破棄してまで、光との恋を選択します。事実、未知は光を選んだことによって、勤務していた高校から追放され、家族からは勘当されるなど散々な目にあいます。許されざる恋愛を描いているためか、『魔女の条件』に限らず、恋愛関係に陥った教師と生徒には作品内で何らかの形でペナルティが課せられる（※6）ことが多いようです。

不幸が次々と襲いかかってくるにもかかわらず純愛を貫く未知と光の姿に、日本の視聴者の多くが感涙したそうですが、中国では「なぜ、わざわざ不幸になりたがるんだ？」「大と結婚した方がいいに決まっている」「高校生と恋愛したって損するだけだ」と、多くの視聴者がしごく現実的な感想を持ちました。

日本と同じく、中国でも恋愛をテーマにしたドラマは多数制作されています。しかし、日本のドラマの登場人物とは対照的に「超エリートの男性と結婚する」「略奪愛も辞さず、大富豪のもとに嫁ぐ」という、中国人女性の典型的な結婚観を描いたものがほとんどです。中国の主婦層の間で大ヒットした某韓国ドラマも「女性経験の少ない若いイケメン御曹司と再婚する初老の主婦」といった内容でした。

日本のドラマが理想論的な恋愛を描く傾向があるのに対し、中国や韓国のドラマは現実的な恋愛を描いたものが多いと言えるでしょう。中国人の一般的な価値観とあまりに異なるがゆえに『魔女の条件』は話題となったのです。中国の僕の友人は「松嶋菜々子のファンだから期待していたけれど、ストーリーの展開が気色悪かったから、途中で観るのをやめちゃった」と酷評していました。

教師と生徒の恋愛ものに限らず、日本のドラマ、あるいは漫画や小説で描かれる恋愛には、何らかのハンデが課せられていることが多い印象を受けます。

例えば**『花より男子（だんご）』**（※7）は、一般的な家庭で育った少女・牧野つくしと大富豪の御曹司・道明寺司の恋愛をテーマにした作品ですが、作中ではつくしが校内でいじめられるなど、「身分違いの恋」によるトラブルが多く描かれています。一九九一年に大ヒットした**『101回目のプロポーズ』**（※8）というドラマは、お見合いに九十九回失敗した中年男・星野達郎（武田鉄矢）が、新たなお見合い相手の矢吹薫（浅野温子）に何度も交際を断られながら、純愛を貫き通す物語です。上記の二作品はアジア各国で放送され、中国では両作品のリメイク版ドラマが制作されたことから、高い知名度を誇っています。『魔女の条件』と同じく、中国の視聴者は、批判や罵声を浴びながら恋愛に固執するつくしや達郎の姿を見て困惑すると同時に、彼らの強烈な情念のようなものを感じ取っていました。

中国のドラマで男女の恋愛が描かれる場合、日本とは対照的に、いわゆる上流階級と呼ばれる人々の華やかな世界が舞台になることが一般的です。例えば二〇一八年に制作された『温暖的弦』というドラマは、企業経営者の男性が大学時代の恋人とよりを戻そうとして彼女を秘書として雇うというもので、同年に制作された『恋愛先生』は、歯医者の男性が恋に悩むエリートたちにデートのテクニックを伝授する話です。

視聴者は登場人物たちの華麗な生活を見て憧れをつのらせます。中国には「竹門対竹門、木門対木門」という「身分相応」を意味することわざがあり、金持ちは金持ち同士、貧乏人は貧乏人同士が相応であって、身分の違う男女は結婚するべきではない、という古くからの偏見がいまも存在しているのです。

これは日本の知人から聞いた話なのですが、日本でも八〇年代末期から九〇年代初頭にかけての、いわゆる「バブル期」には「トレンディドラマ」と呼ばれる、富裕層同士の恋愛を描いたドラマが作られていたようです。しかし、豪邸に暮らし高級車を乗り回す美男美女が繰り広げる恋愛物語は短期間で飽きられ、それに替わって新たなドラマブームの火付け役となったのが、中小企業に勤める平凡な男女の恋愛を描いた『東京ラブストーリー』（※9）だったそうです。日本の視聴者には、札束が飛び交う豪華な恋愛ゲームよりも、相手の地位や収入など気にせず一途に人を愛し続けるといった素朴な純愛に魅かれる傾向があります。

日本も資本主義国家の一員ですから、現実的には能力の秀でた人物や多額の資産を持つ人物が恋愛でも成功しやすいことは確かです。物語の登場人物が成就しづらい恋愛に挑むのは「誰でも努力すれば成功できる」という希望を読者や視聴者に与えるという意味合いもあるでしょう。それでも、障害だらけの恋愛が美談として受け入れられる日本社会に、僕は好感を抱くのです。

いじめと障害者問題に挑んだ『聲の形』

重病を抱えている、心身に障害を持つなど、日本では健常者に比べて何らかのハンデを背負った人物との恋愛を描いた作品も数多く作られています。

二〇一六年に劇場アニメ版が公開された『**聲の形**』（※10）という漫画は、聴覚障害を持つ少女・西宮硝子と同級生の石田将也の恋愛を描いた作品です。小学校時代、硝子は同級生たちと溶けこもうとするものの、授業を遅らせてしまうなど足を引っ張ることが多く、次第に疎外されるようになります。その一方、硝子を率先していじめていた将也は、それが災いしてかえって自分自身がいじめの対象になってしまいました。物語途中で硝子は転校するのですが、彼女に好意を抱いていた将也は必死で行方を探します。五年後に再会した時、将也は手話をマスターするなど、硝子を全力でサポートする決意を固めます。『聲の形』は恋愛物語であると同時に将也の償いの物語でもあるのです。

『聲の形』と同年に公開された劇場アニメ『**君の名は。**』（※11）も恋愛と再会をテーマにした物語です。興行成績という面では『君の名は。』がはるかに上ですが、重い雰囲気やいじめや障害者問題という敬遠されがちなテーマに挑んだことなどから、僕自身は『聲の形』のほうに共感を覚えます。

『聲の形』以外にも、小説では、白血病を発症した少女の恋愛を描いた『**世界の中心で、愛をさけぶ**』（※12）、テレビドラマでは、難病に侵され車椅子生活を送る女性の恋愛を描いた『**ビューティフルライフ**』（※13）など、日本ではハンデを持つ人物による恋愛作品が定期的に作られ、いずれも大ヒットを記録しています。二〇一八年以降に制作された『**大恋愛～僕を忘れる君と**』（※14）、『**パーフェクトワールド**』（※15）などのテレビドラマも類似のテーマを扱った内容です。

映画『聲の形』（原作・大今良時、監督・山田尚子）ポスター（2016年9月17日公開）

個人主義、拝金主義が蔓延(まんえん)している現在の中国では、上記のような内容のドラマが放送される機会はめったにありません。仮に放送されたとしても「なんで苦労してまで障害者と交際しなければならないんだ？」「健常者と付き合ったほうがいいに決まっている」などと、現実的かつ差別的な意見が多く寄せられるでしょう。数少ない例外として『大愛無声』という聴覚障害者を主人公としたドラマが二〇一一年に制作されていますが、これは**『君の手がささやいている』**（※16）という日本の漫画を原案にしたものでした。

数々の問題に立ち向かいながら、ハンデを持つ人物と愛し合う物語の主人公を見て多くの日本人は感涙します。日本はハイテク技術による合理化、効率化が浸透していながら、数値では表現できない「いたわり」や「慈愛」ともいうべき感情が根強く残る稀有な国家と言えます。

無敵のヒーローも奥さんは恐い

二〇一九年十二月、WEF（世界経済フォーラム）は、男女平等の度合いを示す「ジェンダー・ギャップ指数」を発表し、日本は百五十三カ国中、百二十一位でした。

この発表を受け、日本国内の左派や野党議員たちはこぞって「日本は女性差別社会」と非難しましたが、僕自身は、現代の日本は男女平等、いや、むしろ女性優遇社会のように感じています。

日本が女性差別社会でないことは、日本人が手がけた作品と外国人が手がけた作品を見比べれば一目瞭然です。

二〇一二年まで日本の漫画雑誌『ヤングガンガン』（スクウェア・エニックス）に掲載されていた『黒神（くろかみ）』（※17）は二人の韓国人が原作・作画を担当した漫画で、テレビアニメ化されたほどの人気作品でした。画力のレベルが高かったため、掲載時は僕も愛読していたのですが、ある時、僕が友人の日本人漫画原作者に「日本人が描いていると言われても違和感がない」と話したところ、彼は「あの作品は女性に対する暴力描写が激しい。その点が日本人の作品ではありえない」「主人公のキャラクター設定は日本人なのに、中身は韓国人だ」と否定しました。

彼の話を受けて『黒神』を読み返してみると、確かに、美しい女性の姿をした「元神霊（もとつみたま）」である主人公のクロが敵に関節技（わざ）をかけられて悶絶（もんぜつ）したり、みぞおちに膝蹴（ひざげ）りを受けて吐血するなど、執拗（しつよう）にいたぶられるシーンが多く、また、主人公の伊吹慶太も冗談めいた表現とはいえ、クロをたびたび殴（なぐ）っています。

『黒神』以外にも韓国人作家が手がけた漫画を数作読んでみると、いたずらをしたヒロインを主人公がためらうことなく殴ろうとするような描写が散見されました。現実に韓国社会では妻に対する夫のＤＶ（家庭内暴力）が頻発（ひんぱつ）しており、韓国の女性家庭省が数年前に発表した調査によると、過去一年間に夫から暴力を受けたことのある韓国人女性は全体の四十五・五％に上っています。日本ではタブー視されている女性への暴力行為は、韓国では日常茶飯事のようです。知人の韓国人女性（当時二十四歳）から聞いた話なのですが、『君の名は。』が韓国で大ヒットした理由の一つは、韓国人の女の子は、暴力をふるわず、ヒロインに献身的な優しい主人公に憧れる」ことにあるそうです。

韓国人の作品とは対照的に、日本人が手がけた作品では、男性が女性に暴力を振るう描写はあまり存在しません。そのような描写があるのは、敵キャラがヒロインを暴行するなど、たいてい悪役の恐ろしさや敵の卑劣さを強調する場合です。反対に、男にはためらいなく襲いかかるキャラが、女性が攻撃されるのを見て激怒したり、敵キャラの女性に反撃できず苦戦するといった描写が『ONE PIECE』（※18）などでは頻出（ひんしゅつ）します。日本作品の男性キャラはフェミニスト（女性を大切にする人）的な傾向があるというのが、僕の持論です。

僕が面白いと思ったのは、最強クラスの力を持つ主人公が恐妻家で、家庭では妻の尻に敷かれているという設定です。『ドラゴンボール』のチチ、『ジャングルの王者ターちゃん』（※19）のヂェーンなどが、そうした〝恐い奥さん〟の代表でしょう。おそらく、主人公に親近感を持たせることが狙いでしょうが、この発想は「家庭のまとめ役は妻」という多くの日本人が持つ意識を反映したものかもしれません。主人公の妻たちは、表面上では夫をバカにしているように見えながら実際は絶大な信頼を寄せており、ヂェーンは野生動物たちを守るために戦う夫のターちゃんを水面下で手助けしている設定になっています。

日本社会における女性の地位が低いとＷＥＦが主張する根拠は、女性の社会進出が諸外国に比べて遅れているということです。確かに二〇一八年度の日本の国会における女性議員の割合は十・二％（列国議会同盟調査）、企業の女性役員の割合は三・八％（東京商工リサーチ調査）と、先進諸国の中では最低レベルです。とはいえ、女性の積極的な就労により、家事や子供の教育に支障をきたすこともあります。事実、欧米圏では親の収入によって子供の教育環境が激変することから、主婦が働かざるを得ないことが多く、その結果、家族間のつながりの希薄化、偏（かたよ）った食事による子供の栄養失調といった現象が発生しているそうです。

左派・リベラル派が批判する専業主婦ですが、就労して賃金を稼ぐことだけではなく、家事や育児に専念して家庭をサポートするという行為も立派な労働と言えます。事実、日本人女性は諸外国に比べると専業主婦になりたいと考える割合が多いというデータが存在します。女性が社会進出していない日本社会を時代遅れだと批判する左派・リベラル派の人々こそ、物事を表層的なデータで判断する偏狭（へんきょう）な思想の持ち主と言えるでしょう。

命がけで女性を守る男たち

前述したように、日本の作品に登場する男性キャラは女性を丁重に扱う傾向があります。とくに、男性主人公が命を賭して愛するヒロインを守ろうとする姿が、作品の大きな見せ場になっていることが多いという印象を受けます。

献身的な主人公としてとくに強く印象に残っているのは、**『電影少女』**（※20）という漫画に登場する弄内洋太です。物語当初、洋太は「モテナイヨーダ」というあだ名がつけられた冴えない高校生で、鬱屈した日々を過ごしていたのですが、彼の前に「ビデオガール」（ビデオテープから再生される少女の化身）の天野あいが現れたことにより、状況は一変します。天野あいは本来なら禁じられている恋心を洋太に抱いてしまい、失敗作とみなされた彼女の前にさまざまな障害が立ちふさがります。洋太はあいを守ろうと必死で奮闘するうちに人間として成長してゆきます。物語終盤で、あいは消滅するのですが、洋太の想いが奇跡を起こし、あいはビデオガールではなく普通の人間として洋太の前に再び現れるのです。

『電影少女』は露骨な性描写が多く、連載開始当時は地方自治体から有害図書指定扱いされた経緯を持つ作品です。そのため、単なるエロ漫画と誤解されることもあるのですが、美麗な絵柄、繊細な心理描写に関しては漫画史上屈指の名作だと僕は思います。なお、本書の編集者も学生時代に『電影少女』を読んでいたそうで、洋太があいを救おうとして血まみれになりながらガラスの階段を上るシーンで涙を流したそうです。

『電影少女』以外にも、『犬夜叉（いぬやしゃ）』（※21）『妖狐×僕SS（いぬ×ぼくシークレットサービス）』（※22）など、運命的な出会いをしたヒロインを主人公が守ろうとする作品が数多く存在します。第1章で紹介した『るろうに剣心』も主人公の緋村剣心がヒロインの神谷薫を守ろうとする物語で、作中で薫が殺害されたと思い込んだ剣心が半ば廃人と化してしまう場面も出てきます。

日本の作品を見るたびに、多くの日本人男性には「女性は守らなくてはならない」「大切に扱わなくてはならない」という考えが根付いていると僕は感じます。世界中で性による区別の解消が論じられていますが、肉体能力など男性と女性ではさまざまな要素で違いがあるのは明らかです。仮に、全面的にユニセックス（男女の区別がない状態）化が社会に浸透してしまったら、女性が過酷な肉体労働を担当するといった事態が発生するかもしれません。

日本人男性は、女性が自分たちに比べてか弱い存在であることを自覚しているからこそ、丁重に扱うのだと思います。これは男尊女卑的な思想が根強く、女性は男性に服従するべきだと考えがちな中華圏や韓国の男性とは対照的です。

K‐POPや韓流ドラマの影響からか、韓国人男性に対し「義理堅く誠実」なイメージを持つ日本人女性も存在します。しかし、前述したように韓国人男性は男尊女卑的な考えを持っていることが多く、韓国人男性と結婚した日本人女性が夫の暴力を理由に離婚する例が多いという話を聞いたことがあります。これは妻よりも自分の親や親戚を重んじる韓国の風潮や、結婚後は妻が家計を担当するといった日本独自の習慣に韓国人の夫がなじめないことなども原因となっているようです。

女性視点で韓国人男性が誠実に見えるのは、女性を小さな子供と同様であるかのように見下（みくだ）しているためではないでしょうか。見下しているからこそ、児童に対する教師のような感覚で女性と接するのです。逆に日本人男性は、女性を自分たちと同等、あるいは上位の存在と考えているから、時には過剰と思えるほど女性を大切に扱うのだと思います。本当の意味で義理堅く誠実なのは、韓国人男性ではなく日本人男性だと思います。

なぜ三蔵法師が「女性的」なのか

外国の神話や伝承を原典とした日本の漫画やアニメは数多く存在します。その中には、登場人物の性を変更したものがあります。

中国の明の時代に書かれたとされる『西遊記』は、日本でも人気が高く、『ドラゴンボール』など多くの作品の元ネタとなった物語です。僕は日本で暮らすようになってから、日本で『西遊記』をドラマ化する際、原作では男性である三蔵法師を女優が演じる（※23）のが慣例となっていることを知りました。ドラマに限らず、三蔵法師にあたる人物は女性、もしくは女性的な風貌の男性として描かれる傾向があります。この事実を知る中国人も多く、時には失笑しています。

僕は三蔵法師が日本で女性化した理由は、その役割設定にあると思います。『西遊記』の物語内では、孫悟空が悪い妖怪の息の根を止めようとするたびに、三蔵法師が仏の御心に従ってそれを止めるという展開が定番になっています。たとえ敵であっても命を救おうとする三蔵法師の慈愛に満ちた行為は、日本人なら共感する方が多いでしょうが、相手を徹底的にやり込めることを好む多くの中国人にとっては、納得のいかない、後味の悪い行為なのです。

また、物語内の三蔵法師はお供の孫悟空、猪八戒、沙悟浄をいましめることはあっても、普通の人間であるため自身が妖怪と戦うことはできません。いわば、三蔵法師は「精神的支柱」「周囲から守られる存在」「暴走した者を制御する」という母性的な役割を与えられたキャラなのです。三蔵法師が言うことを聞かない孫悟空を「緊箍児」と呼ばれる頭の輪を締め付けてこらしめる場面は、日本の方にもおなじみでしょうが、これは暴走する息子や夫をたしなめる母もしくは妻の姿を思わせます。

孫悟空たちと三蔵法師の関係は、母親（妻）が家庭のまとめ役になっているという日本の家庭の理想像に近いものといえます。日本で『西遊記』が映像化される際、本来の主人公である孫悟空よりも三蔵法師がフィーチャーされることが多いのは、「妻（母親）こそが家族の真の大黒柱」という日本人の思想が反映されるためではないでしょうか。

『西遊記』以外にも、「Fateシリーズ」（※24）のセイバー（※25）など、原典では男性だった人物が女性化している例が日本の作品では散見されます。そもそも、日本の物語の原点とも言える日本神話の主神・天照大神は女神です。古くから日本には女性を気高い存在として敬う風潮があるのかもしれません。

恋人たちが世界を救う

日本の漫画やアニメ、小説では、恋愛感情が当人たちのみならず国家や世界を救済するという展開がたびたび見受けられます。

一九八二年から制作されている「マクロスシリーズ」は、新天地を求めて宇宙を漂流する人類の姿を描いたSFアニメですが、シリーズ共通のテーマとして「三角関係」が取り上げられています。シリーズ第一作『**超時空要塞マクロス**』（※26）では、味方勢力の統合軍と敵勢力のゼントラーディ人の争いと並行して、主人公の一条輝とオペレーターの早瀬未沙、アイドル歌手のリン・ミンメイによる三角関係が物語の主軸として描かれるのです。物語のクライマックスで、リン・ミンメイの歌がゼントラーディ人の士気を低下させる効果が判明し、輝の提案による「リン・ミンメイ作戦」が実行されたことにより、人類は勝利をおさめることに成功しました。

この他にも、男女のキスという行為がゼントラーディ人を倒すきっかけとなり、主要キャラのマクシミリアン・ジーナスが敵勢力の一員であるミリア・ファリーナと結婚したことにより、続編の『**マクロス7**』（※27）の物語につながるなど、マクロスシリーズの世界では恋愛感情が世界の運命を握っているのです。

第1章でも紹介した『機動戦士ガンダム　逆襲のシャア』は地球の存亡をかけたSFアニメですが、敵側の総帥であるシャア・アズナブルが人類の粛清を思い立ったのは、**ララア・スン**（※28）という一人の女性に対する怨みが動機になっています。マクロスシリーズと同じく一つの恋愛が壮大な物語となるのは、日本作品独自の展開だと思います。

また、男子高校生が温泉の神様に恋をする『**ゆめくり**』（※29）、霊感の強い少年が神木（しんぼく）の産土神（うぶすながみ）（土地や地域を守護する神）と出会う『**かんなぎ**』（※30）、神になった少女の日常生活を描いた『**かみちゅ！**』（※31）など、普通の人間が神や精霊といった超自然的存在と恋愛関係に発展するというのも、日本作品に独自のものといえるでしょう。

一神教であるキリスト教やイスラム教とは違い、日本発祥の神道は「万物すべてに神が宿る」という思想です。日本の人々の傍（かたわ）らには常に神々が存在します。外国の作品に神が登場する場合、荘厳な雰囲気で描かれることが大半ですが、上記の作品に登場する神は、いずれもかわいらしくて親しみやすい「萌え絵」で描かれています。常に神が寄り添う日本人にとって神とは畏怖（いふ）の対象ではなく、家族や仲間と同じく対等に近い関係なのかもしれません。だからこそ、人間と神の恋愛という作品アイデアが生まれるのです。仮に神を絶対的存在と考えるイスラム教圏でそのような内容の作品が発表されたら、神に対する冒瀆（ぼうとく）とみなされ、ただちに発禁処分となるでしょう。

「#MeToo運動」が日本で盛り上がらない理由

あらためて日本の作品を振り返ってみると、この国には純愛の美しさ、男女平等の精神、母性の素晴らしさなど、「慈愛」ともいうべき感情が満ち溢れていると感じます。女性へのセクハラを糾弾する「＃ＭｅＴｏｏ運動」（※32）が一般化しないのは、そもそも性問題の発生数が諸外国に比べて少ないからでしょう。

しかし、左派・リベラル派、もしくは野党議員の一部は、日本では性問題が黙殺されていると吹聴（ふいちょう）しています。例えば二〇一七年に男性ジャーナリストから強姦されたと訴えて記者会見を行った女性ジャーナリストは、その後は海外の報道番組に出演して、日本では性差別が横行していると語りました。訴えられた男性ジャーナリストはメディアから事実上締め出され、反論する機会が与えられない一方、女性ジャーナリストはファッションブランドのイメージキャラに起用され、ポリアモリー（複数の異性と関係を持つ恋愛体系）を推奨するなど、精力的に活動しています。

真相は不明ですが、この女性ジャーナリストは、自らの経験を利用して「被害者ビジネス」を行っていると僕は推測します。だとしたら、これは旧日本軍人から性被害を受けたと訴え、賠償金を求めて公衆の前に堂々と姿をさらす韓国の従軍慰安婦たちと同様の行為と言えるでしょう。性の平等を訴えながら、実際は自らの性を利用して地位や利益を得ようとすることこそ、真の性差別です。

前述したように、現実には日本でも容姿に優れた者、地位の高い者、多くの収入を得ている者が恋愛で成功する傾向にあります。作品で描かれるような恋愛が成就する可能性は極めて低いのです。それでもなお、「奇跡の恋愛」が美談としてもてはやされる日本の風潮は素晴らしいと思います。

日本は「愛の国」なのです。

（注釈）

※1 魔女の条件　一九九九年にTBS系列で放送されたテレビドラマ。最終回の視聴率は二十九・五％を記録した。タイトルはヨーロッパ中世の「魔女狩り」を念頭に、禁断の恋に落ちた二人に対する迫害を示唆している。

※2 めぞん一刻（原作・高橋留美子）　一刻館アパートに住む青年・五代裕作たちと管理人の音無響子との関係を描く。五代は響子に恋しているが、五代が教育実習を担当したクラスの女子高生・八神いぶきは五代に恋愛感情を持っている。

※3 高校教師　一九九三年にTBS系列で放送されたテレビドラマ。生物教師と女子生徒の恋愛を描き、強姦、同性愛など過激な描写が頻出するのが特徴。二人の心中を連想させるラストシーンは放送終了後、大きな話題となった。

※4 中学聖日記（原作・かわかみじゅんこ）　同名漫画のドラマ化作品（二〇一八年、TBS系列）。

女性教師と恋愛する男子中学生役には、当時新人の岡田健史が抜擢された。

※**5　先生!、、、好きになってもいいですか?**（原作・河原和音）　社会科教諭に初めての恋をした女子高生の姿を描く。二〇一七年に制作された映画では、広瀬すずが女子高生役を演じた。

※**6**『高校教師』では、主人公の教師が女子生徒の父親を刺したあげくに逃亡の旅へ出る。『中学聖日記』では、男子生徒との恋愛が発覚した女性教師は国外に生活の場を移す。

※**7　花より男子**（原作　神尾葉子）　平凡な女子高生・牧野つくしと、良家の男子グループ「F4」のメンバーの関係を描く作品。一九九二年〜二〇〇四年まで『マーガレット』（集英社）で連載された。テレビアニメ、劇場アニメだけでなく、一九九五年、二〇〇八年の二度にわたって実写映画化。二〇〇五年に実写ドラマ版が放送開始。海外での人気も高く、台湾、韓国、中国でもテレビドラマ版が制作された。

※**8　101回目のプロポーズ**　最高視聴率三十六・七%を記録した恋愛ドラマ（一九九一年。フジテレビ系列）。脚本は『高校教師』の野島伸司。主人公が冴えない中年男という設定は、二枚目俳優が主演を務めることが多かった当時の「月9ドラマ」としては異色だった。

※**9　東京ラブストーリー**（原作・柴門ふみ）　一九八八年から『ビッグコミックスピリッツ』で連載された同名漫画が原作。優柔不断な主人公と、奔放で単刀直入な物言いをするヒロインといったキャラ設定は、バブル期以降のドラマの登場人物のスタンダードとなった。

※10 聲の形（原作・大今良時） 二〇一三年～一四年まで『週刊少年マガジン』に連載された。聴覚障害、いじめなどデリケートなテーマを主題にしていることから、いったんは少年誌掲載を見送られた経緯を持つ。劇場版アニメの制作は、放火で大被害を受けた京都アニメーション（監督・山田尚子）。

※11 君の名は。（監督・新海誠） 日本歴代四位の興行収入を記録した劇場アニメ（二〇二一年八月現在は五位）。都心に住む男子高校生・立花瀧と岐阜県内の小さな町に住む女子高生・宮水三葉の恋愛と奇跡を描く。

※12 世界の中心で、愛をさけぶ（原作・片山恭一） 二〇〇一年に刊行された片山恭一の小説。白血病に侵された少女・アキと彼女を救おうとする少年・朔太郎の物語。映画、テレビドラマ、舞台化されるなど「セカチューブーム」を巻き起こした。

※13 ビューティフルライフ 二〇〇〇年にTBS系列で放送されたテレビドラマ。当時人気絶頂だった木村拓哉と常盤貴子が主演を務め、最高視聴率四十一・三%を記録した。放送当時、作中で使用されたバイクやダウンジャケットの売り上げが大幅に増加したという。

※14 大恋愛～僕を忘れる君と 二〇一八年に放送されたテレビドラマ（TBS系列）。若年性アルツハイマーに犯された女性医師と、自らの存在を忘れられつつも彼女を愛し続ける小説家の恋愛を描く。

※15 パーフェクトワールド（原作・有賀リエ）　事故による脊髄損傷により車椅子生活を送る男性と同級生の女性の恋愛を描く漫画を原作に、二〇一八年に劇場映画、翌一九年にテレビドラマ（フジテレビ系列）が制作された。漫画は二〇一四年～二〇二一年まで『Ｋｉｓｓ』（講談社）で連載された。

※16 君の手がささやいている（原作・軽部順子）　聴覚障害者のヒロインと、苦労しながら彼女を支える人々を描いた軽部順子の漫画。一九九二年から九六年まで『mimi』（講談社）で連載。九七年にテレビ朝日系列でテレビドラマ版が放送された。

※17 黒神（原作・林達永　作画・朴晟佑）　上位元神霊のクロと、争いに巻き込まれ左手を失った伊吹慶太を主人公にしたバトルアクション作品。漫画版とアニメ版でキャラ設定が大きく異なるのが特徴。

※18『ＯＮＥ ＰＩＥＣＥ』（原作・尾田栄一郎）の主要キャラであるサンジは、いかなる理由があろうと女性に暴力はふるわないという設定。二〇一二、一四年に放送された高橋克典主演のドラマ『匿名探偵』（テレビ朝日系列）の主人公は、すべての女性に優しくすることを流儀としている。

※19 ジャングルの王者ターちゃん（原作・徳弘正也）　野生動物を守護する主人公・ターちゃんの活躍を描いたアクションギャグ作品。『週刊少年ジャンプ』で連載された。現在の少年誌では絶対に掲載不可能と思われる露骨な下ネタの多用と、洗脳され操られる敵の存在など重苦しいストー

リー展開が特徴。

※20 **電影少女**（原作・桂正和） 美麗なキャラデザイン、現実とSFの融合など、桂正和の作品の方向性を決定づけた作品。『週刊少年ジャンプ』で一九八九年～九二年まで連載された。桂が過激な性描写にこだわった理由は、リアルを追求したかったからだという。二〇一九年には、この漫画を原作としたドラマ『電影少女―VIDEO GIRL MAI 2019―』（テレビ東京系列）が放送された。

※21 **犬夜叉**（原作・高橋留美子） 戦国時代を舞台に、半妖（はんよう）の犬夜叉と、現代からタイムスリップした、体内に四魂（しこん）の玉（たま）を持つ少女・日暮（ひぐらし）かごめが織りなす伝奇アクション作品。漫画版は『週刊少年サンデー』で一九九六年～二〇〇八年まで連載され、単行本五十六巻は、高橋留美子作品の中では最多の巻数。

※22 **妖狐×僕SS**（原作・藤原ここあ） 一人暮らしをはじめた虚弱な少女・白鬼院凜々蝶（しらきいんりりちよ）を守ろうとする御狐神双熾（みけつかみそうし）（九尾の妖狐の先祖返り）の物語。『月刊ガンガンJOKER』（スクウェア・エニックス）誌上で二〇〇九年～一四年まで連載された。

※23 一九七八年版（～八〇年）のテレビドラマ『西遊記』（日本テレビ系列）では夏目雅子、九三年の特番ドラマ（日本テレビ系列）では宮沢りえ、同じく九四年の日本テレビ系列のドラマでは牧瀬里穂、二〇〇六年版（フジテレビ系列）では深津絵里が、それぞれ三蔵法師を演じた。

※24 **Ｆａｔｅシリーズ** 二〇〇四年に発売されたPCゲームを第一作とする伝奇アクション・

シリーズ。あらゆる願いを叶えると言われる聖杯を巡って、召喚されたサーバント（英雄の霊）が争いを繰り広げる。漫画、アニメなどメディアミックス展開が行われている。

※**25 セイバー**　イギリスの伝承に登場する「アーサー王」をモチーフとしたキャラ。実は美少女だが、性別を偽っていたという設定。

※**26 超時空要塞マクロス**（原作・スタジオぬえ）　一九八二年からＴＢＳ系列で放送されたアニメ作品。ＳＦロボット、アイドルソング、ラブコメなど、八〇年代前半の日本のポップカルチャーを包括したような作風が特徴。劇場版『超時空要塞マクロス 愛・おぼえていますか』は、テレビアニメ版をモチーフにした完全新作として公開された。

※**27 マクロス7**（原作・河森正治）　一九九四年から放送された「マクロスシリーズ」のテレビアニメ第二作。リアリティ重視の従来作とは異なり、主人公が歌い出すことによって戦争が沈静化するなど、テンションを重視した作風。

※**28 ララァ・スン**　『機動戦士ガンダム』に初登場した少女。高度なニュータイプ（ガンダム作中における「進化した人類」の総称）能力を持ち、死後もシリーズ全体に強い影響を与えている。

※**29 ゆめくり**（原作・博）　『月刊コミックアライブ』（ＫＡＤＯＫＡＷＡ）誌上で二〇一二年～一七年まで連載。温泉巡りが趣味の男子高校生・湯上誠が出会った少女・白羽ゆりは怨念の神様だった。温和な雰囲気の作風が特徴。

※30 かんなぎ（原作・武梨えり）『月刊ＣｏｍｉｃＲＥＸ』（一迅社）誌上で二〇〇六年〜一七年まで連載。霊感が強い美術部員・御厨仁と産土神を自称する少女・ナギの共同生活をコミカルに描く。テレビアニメ版は作画クオリティの高さが評判となった。

※31 かみちゅ！（監督・舛成孝二）二〇〇五年にテレビ朝日系列で放送されたテレビアニメ。架空の都市・日の出町を舞台に、神となった女子中学生・一橋ゆりえの生活を描く。作中世界ではゆりえが神となったという話を、多くの人が「本当のこと」として受け入れている。

※32 ＃ＭｅＴｏｏ運動 二〇一七年、映画プロデューサーのセクハラ疑惑に対して、数名のハリウッド女優が告発したことに端を発するセクハラ撲滅運動。「＃」はＳＮＳで使用されるハッシュタグを表している。

第4章

日本の歴史物語の特異性

フィクション歴史教科書

今日は
大手出版社に
オリジナル漫画を
持ち込みました

もしも
僕が日本に
生まれ育っていたら
想像力が格段に
違っていた
かもしれません
だって 日本の
創作環境は自由だから
たくさんの優秀な
作品が参考になる

中国ではいつも
西遊記、三国志…
あれもこれも
古代の作品ばかり
です

あれ、孫さん
じゃないですか？
あっ
小泉さん
持ち込み
ですか？

僕は担当さんと連載の打ち合わせ
いいな 大手出版社の雑誌で連載してる小泉さんカッコいいですよ
もしも僕も日本で生まれ育っていたら良い漫画家になっていたかも
いや 中国にもめちゃウケる話がいっぱいありますよ
例えば歴史を創作した話
この前 会った中国人留学生はチンギス・ハーンは中国人だと言った
金帳汗国
察合台汗国
伊利汗国
元
しかもモンゴル帝国は中国の「元」だって
確かに中国の教科書ではモンゴル人は中国の少数民族だから中国人だと
チンギス・ハーンは「元」の中国皇帝と記載されてます

めちゃくちゃウケる！もっと教えてください

うーん例えば台湾の話

台湾は中国の固有領土
鄭成功はオランダの侵略者を撃退し、台湾を取り戻した
台湾は古から中華民族の大家族の一員だって
中国の教科書は国定だから中国人の誰に聞いても同じ史観で答えます
EAST
SEA
沖绳岛
赤尾屿
钓鱼岛
琉球群岛
Ryukyu-gunto
台湾岛
高雄
香港
Macau
Hong Kong
海口
Haikou
Dongsha
Qundao
吕宋岛
Luzon
Zhongsha Qundao
南
海
SOUTH CHINA
SEA

なるほどじゃあ、日本も侵略者と扱われますよね？

ええ、日清戦争の際、日本は下関条約で無理やり中国から台湾を奪ったって
日本は台湾を植民地支配して民族浄化し日本語を無理やり勉強させたと

実際 日本は台湾で最初の民主主義政府を作りました
それは今の台湾の民主主義の土台を作ったんじゃないかと思います

中国では 日中戦争で中国共産党が日本軍を撃退したドラマばかりですよね?
そもそも日本軍と中国共産党軍は正式な交戦がありませんし
ええ、中国製の映画「カイロ宣言」はなんと 蒋介石の代わりに毛沢東がエジプトのカイロに行きました
まさに嘘の上に嘘を塗り固めるファンタジー映画です

中国共産党は好き勝手に改ざんし放題なのに僕たち庶民は歴史人物を茶化す作品も許されません
日本の漫画家荒川弘氏の作品に毛沢東がキョンシーの姿で描かれたシーンがありました
日本の表現の自由が正直うらやましいです

中国ではありえない「明智光秀」伝

二〇一八年四月二十九日、二〇二〇年一月から放送されたNHK大河ドラマ『**麒麟がくる**』（※1）の制作発表が行われました。そのドラマの内容が明智光秀の生涯を描いたものと聞いて、僕は大きな衝撃を受けました。

日本人には周知の事実でしょうが、明智光秀の主君だった織田信長は、天下統一を果たすために数々の激闘を繰り広げた稀代の英雄で、現代でも「好きな戦国武将ランキング」といったアンケートが行われると、圧倒的大差で一位になるのが定番の、いわば戦国時代最大のスターです。一方、光秀は信長を襲撃し、本能寺に火をつけて死に追いやり（本能寺の変）権力を奪い取った、文字どおり「火事場泥棒」のような人物です。

光秀の真意はさておき、主君へのその裏切り行為は、一般的な日本人の感性からすれば好ましいものではありません。事実、光秀が好きな武将のランキングで上位になることはめったにないようです。にもかかわらず、『麒麟がくる』以外にも、漫画『**信長を殺した男〜本能寺の変 431年目の真実〜**』（※2）や、司馬遼太郎の小説『**国盗り物語**』（※3）など、日本では昔から光秀を主人公、もしくは主要人物として描いた作品が数多く作られてきました。

明智光秀以外にも、日本では歴史の授業ではあまり取り上げられない人物を主人公とした作品が多く作られています。本書を手がけるに当たって、僕は編集者から戦国～安土桃山時代を舞台にした二つの歴史漫画を紹介されました。

『花の慶次―雲のかなたに―』（※4）は、加賀藩主・前田利家の義理の甥である前田慶次（前田利益）を主人公にした隆慶一郎の小説『一夢庵風流記』を漫画化した作品です。主人公の慶次は奇抜な身なりや行動を好む、いわゆる「傾奇者」の人物で、作中では大勢の敵兵を一度に斬り裂く破天荒な剛の者として描かれています。余談ですが、『花の慶次』は、敵を甲冑ごと真二つにしたり、頭部が普通の人間の全身より大きい男が登場したり、大げさな描写が多く、さすが『北斗の拳』を手がけた原哲夫の作画だと感心しました。

もう一つの**『へうげもの』**（※5）は、織田信長、豊臣秀吉に仕えた武将・古田織部（古田重然）を主人公とした作品で、茶の湯や陶器などの芸術に心を奪われた織部の様子がコミカルに描かれます。

前田慶次も古田織部も歴史の授業で扱われることはほとんどなく、歴史好きでもなければその存在さえ知らなかったと聞いています。

一方、中国では、初めて中国を統一した始皇帝や、「三国志」時代の将軍・趙雲、宋時代の武将・岳飛、あるいは現在の中国の建国者である毛沢東など、歴史上の指導者や英雄を主人公にした作品は数多く存在しますが、その親族や側近、あるいは敵対関係にあった人物を主人公とした作品はほとんど見当たりません。あったとしても、岳飛を謀殺したとされる秦檜のような反逆者の忌むべき悪行の話です。中国なら明智光秀は「英雄に仇なす者」として唾を吐きかけられる存在になっているでしょう。

「脇役に焦点をあてる」という日本作品の特徴は、中国の歴史をテーマにした場合にも当てはまります。二〇一九年に劇場実写版が公開された『**キングダム**』（※6）は、古代中国の覇権をめぐる争いを描いた作品ですが、主人公は後に中華統一を果たす秦の王・嬴政（始皇帝）ではなく、彼に仕えたとされる武将・信（李信）をモデルにした人物です。

李信は前漢の時代の歴史書『史記』に記された人物で、数々の武勲をあげたとされていますが、楚の国に攻め入る際、王翦（秦の老将）が六十万人の兵士を要求したのに、二十万人で十分だと嬴政の前で豪語したあげく大敗を喫したという、いささか間抜けなエピソードが実は最も知られています。中国では、李信は短絡的な性格の敗戦の将として、あまり人気のない人物です。中国の歴史作品で李信を主人公にしたものは記憶にありません。

「正しい歴史」は教科書ではなく漫画に描かれている

日本の作品では、人物のみならず歴史の教科書では語られることのない史実が描かれることがあります。

『アンゴルモア 元寇合戦記』（※７）は鎌倉時代の元寇（文永の役）をテーマにした漫画ですが、作中で描かれるのは九州の海岸沿いで勃発した鎌倉幕府軍と元（モンゴル）・高麗連合軍の合戦ではなく、対馬を侵略した元・高麗軍の尖兵と、島を守るため幕府から派遣された流刑人たちの戦いなのです。

作中では対馬に上陸した元・高麗軍が強大な戦力を以て対馬の人々に襲いかかり、虐殺を繰り広げます。当時の高麗の歴史書によると、生け捕りにされた対馬の人々は手のひらに穴を開けられ、紐で数珠つなぎにされて盾代わりにされたり、数百人もの子供たちが奴隷にされるなど、数々の残虐行為が行われたようです。『アンゴルモア』の主人公・朽井迅三郎は架空の人物ですが、元・高麗軍から対馬の人々を守るために日本の武士たちが必死に戦ったのは、まぎれもない事実です。

なぜ、このような史実が日本では広く知られていないのかと歴史に詳しい日本の知人に聞いたところ、現在の教育体制が原因のようです。

元の皇帝フビライ・ハーンに日本侵略を進言したのは、当時朝鮮半島に存在した高麗国の忠烈王でした。当時の高麗国は元に支配されており、忠烈王はフビライ・ハーンのご機嫌をとるために日本侵略を持ちかけたといわれています。ご存じの方も多いでしょうが、現在の日本の教育界では、日本教職員組合など左派系教育団体の影響で、中国や朝鮮半島の人々は日本に侵略された善良な被害者とみなす風潮があり、彼らを批判することは半ばタブーとされています。そのため、八百年以上前の話とはいえ、朝鮮が日本を侵略したという事実はあってはならないことなので、学校で教えられることはほとんどありません。

同時に日本が武力を用いることもタブー視されているため、実際には鎌倉幕府軍の圧勝で終わった元寇は、学校では「神風」と呼ばれる台風が勝因となった、日本の武士たちは防戦一方だった、などと間違った内容が意図的に教えられている——というのは、前述の知人の話です。日本の「真実の歴史」は、歴史の教科書ではなく漫画や小説に描かれているのかもしれません。

誰でも主人公になれる国

女性を主人公、もしくは重要なキャラに据えたものが多いことも日本の歴史作品の特徴です。島津家から将軍家に嫁いだ天璋院の生涯を描いた二〇〇八年の『篤姫』（※8）、女性の地位向上に尽くした新島八重が活躍する二〇一三年の『八重の桜』（※9）など、数年おきに女性を主人公にした大河ドラマが放送されることを、僕は日本に来て初めて知りました。

前章でも述べたように、女神の天照大御神が主神とされるなど、日本では古くから女性を敬う風潮があります。また、飛鳥時代に東アジア初の女性君主となった推古天皇、鎌倉幕府の実権を握った北条政子など、日本史には女性が政治権力の中心であった時代が存在します。中国の場合、歴史上で皇帝となった女性は唐の時代に即位した武則天（則天武后）ただ一人で、女性が権力者となった例はほとんどありません。歴史作品でも主要キャラは男性ばかりで、女性が注目される機会は極めて少ない。古くから日本には男女平等、中国には男尊女卑の思想が根付いていたことは両国の歴史作品を見比べれば明らかです。

さらにいうと、農民から天下人に上り詰めた豊臣秀吉のように、下層階級に生まれた者が努力で出世していく様を描いた立志伝の物語が日本では数多く存在し、多くの人々から共感を得ていますが、中国にはそのような史実はほとんどなく、したがって立志伝も存在しません。古代中国を舞台に、奴隷出身の李信が大将軍を目指すという前述の『キングダム』は、作者が日本人であるからこそ立志伝となったのです。

現代でも、日本社会では努力すれば誰でも高度な教育を受けられる機会があり、大手企業の就職試験や司法試験などに合格できるチャンスが存在します。それに対して、地域や家族の職業、家柄によって著しい格差のある中国社会では、限られた人間しか高度な教育を受けることができません。コネや賄賂がはびこり、共産党員や大企業経営者の子弟が縁故採用され、同僚よりも早々と出世して莫大な収入を得ることも珍しくないのです。両国の作品に象徴されるように、あらかじめ役割分担が決まっている中国社会に比べ、日本社会では努力すれば誰でも主人公になれるチャンスが存在します。

自由な歴史解釈が傑作を生む

日本の歴史作品のもう一つの大きな特徴は、歴史に対する独自の解釈が多く含まれていることです。

例えば、前述の『花の慶次』の場合、主人公の前田慶次は豪放磊落な好人物として描かれる一方、義理の叔父にあたる前田利家は自分の保身しか考えていない器量の小さい人物に描かれています。しかし、史実の前田利家は「槍の又左」と呼ばれるほどの武芸の達人で、百万石の加賀藩を築き上げた名君です。普通に考えれば、彼こそ豪放磊落な人物に描かれるはずですが、『花の慶次』の作中では真逆の設定となっています。同じく『へうげもの』では、本能寺の変の真の首謀者は豊臣秀吉（羽柴秀吉）となっており、作中では燃え盛る本能寺で秀吉が主君である信長を文字どおり「真っ二つ」にする場面があります。

興味がわいて日本の歴史作品をいろいろと調べた結果、独自の解釈が行われているのは、作者が持つ思想が反映されているためであることを知りました。

例えば、手塚治虫の代表作の一つである『**火の鳥**』（※10）は日本の起源から人類滅亡までを描いた大河ロマンですが、第一作にあたる「黎明編」では邪馬台国の女王ヒミコ（卑弥呼）と天照大神が同一視されており、ヒミコが岩戸に閉じこもったことによって太陽が隠れたという「天の岩戸」伝説が再現されています（作中では日食という設定）。また、神々の住む高天原から高千穂峰に天降った（天孫降臨）とされるニニギ（瓊瓊杵尊）が実在の人物として登場します。

生前の手塚治虫が最後に手がけた「太陽編」では、仏教の仏たちは大陸からの侵略者として、日本神道の神々は日本を守ろうとする土着神として描写され、それを大友皇子と大海人皇子の戦い「壬申の乱」と重ね合わせた物語が描かれています。手塚治虫は古代日本の神話は史実に基づいていると考えていたと、僕は推測しています。

山岸涼子の漫画『**日出処の天子**』（※11）はのちに聖徳太子となる厩戸皇子の半生を描

いた作品ですが、作中の厩戸皇子は天候を操り、化け物と会話するなど不思議な能力を持っているという設定です。山岸涼子は昔から伝えられている聖徳太子の人物像に違和感を抱き、伝承とは異なる人物設定にしたとインタビューで語っています。

聖徳太子は日本に仏教を取り入れ、冠位十二階や十七条の憲法を制定するなどの偉業を成し遂げた人物で、「十人の意見を同時に聞いた」といった逸話が数多く残されていると聞いています。聖徳太子があまりにも有能な人物だったがゆえに、山岸涼子は「異能力者」という設定を思いついたのかもしれません。『火の鳥』もそうですが、史実と神話・オカルトを融合させた作品は日本独自のものだと思います。

さらに、作中に実在した人物を登場させるという手法も、しばしば用いられます。例えば前述の『るろうに剣心』は明治時代を舞台とする作品で、登場キャラの大半が創作上の人物ですが、元新選組の斎藤一や大久保利通など幕末から明治期に実在した人物も登場します。同じく明治時代を舞台とした金塊をめぐる冒険譚『ゴールデンカムイ』（※12）は、史実では〝蝦夷共和国〟建設中に五稜郭の戦いで戦死したはずの新撰組副長・土方歳三が敵組織の首領です。『るろうに剣心』では、大久保利通暗殺の犯人は作中の悪役キャラに設定され、『ゴールデンカムイ』では、実は生きていた土方が蝦夷共和国を再興しようとする経緯が描かれています。両作品はフィクションの中に実在した人物や事件を挿入させることによって、リアリティと歴史ミステリー的な要素を加えることに成功しています。

美形キャラと美少女が戦国で大活躍

日本では「同人誌」と呼ばれる既存の作品を基にした二次創作の漫画や小説が数多く作られ、即売会が開催されるたびに大盛況となります。同人誌を手がけるのは大抵アマチュアですが（最近ではプロのクリエイターも参加しているようですが）、プロが手がける日本の歴史作品の中には、同人誌を思わせる自由な発想に基づいたものが数多く存在します。

「Ｆａｔｅシリーズ」や『**ドリフターズ**』（※13）など、歴史上の古今東西の人物が集結して争いを繰り広げるという物語は、日本では一大ジャンルとなっています。編集者の話では、この手の作品のさきがけは山田風太郎の小説『**魔界転生**』（※14）だそうです。これは江戸時代の剣豪・柳生十兵衛が、秘術によって蘇った過去の剣豪たちと戦う物語で、「史上最強の剣士は誰か？」という発想の元に執筆されたそうです。僕はこの章を執筆するために一九七九年に制作された劇場映画版を観ましたが、出演者たちの華麗なアクションや、アナログ特撮ならではの荒々しい迫力に圧倒されました。映画『魔界転生』の妖艶な雰囲気や「時代や作品の垣根を越えて英雄が集う」という設定は、後の日本のビデオゲーム（※

15）だけでなく、「**アベンジャーズシリーズ**」（※16）などハリウッドのヒーロー映画にも多大な影響を与えたようです。

戦国武将をモチーフにした「**戦国BASARAシリーズ**」（※17）、新撰組をモチーフにした『**薄桜鬼**(はくおうき)**～新撰組奇譚～**』（※18）など、歴史上の人物を美形キャラ化した作品も定番化しています。武将たちだけではなく『**文豪ストレイドッグス**』（※19）のように文化人をモチーフにした漫画作品が存在するのもユニークです。上記のような作品は、過度に美化されたキャラたちが大げさなアクションを繰り広げるのが定番で、BL（ボーイズ・ラブ）を思わせる描写が用いられることもあります。そのため「**腐女子**(ふじょし)」（※20）向けと揶揄(やゆ)されることがあるのですが、僕は日本の優れたアレンジ文化の一つだと思っています。

歴史を改変したり歴史上の人物の性別がアレンジされたりする作品もあります。漫画『**信長協奏曲**(コンツェルト)』（※21）は戦国時代にタイムスリップした男子高校生・サブローが自分と瓜(うり)二つの織田信長と入れ替わるという物語で、作中では現代人の感覚で戦国時代の武将として生きることになったサブローの戸惑いが描かれています。「歴史上の著名な人物の偽物が主人公」という物語設定は、日本の歴史作品では定番となっており、映画『**影武者**』（※22）や小説『**影武者徳川家康**』（※23）などが特に有名のようです。

ライトノベル『**織田信奈**(のぶな)**の野望**』（※24）は信長をはじめ数多(あまた)の戦国武将が美少女と化し

た世界を描いたもので、「武家の第一子は性別にかかわらず家督（かとく）を継ぐ」といった設定が施されています。他にも上杉謙信を女性として描いた作品群（※25）など、武将を「女体化」（オタク用語）した物語も日本の歴史作品の定番になっているようです。前述の新島八重や、遠江（とおとうみ）・井伊谷（いいのや）（現在の静岡県）の当主で大河ドラマ『**おんな城主 直虎（なおとら）**』（※26）の題材になった井伊直虎など、日本の歴史には自ら武器を手に取り男性と一緒に戦った勇猛な女性が存在します。歴史作品に限らず、日本で「戦う美女」が登場する作品が人気を博しているのは、彼女たちの実在が背景にあるからではないでしょうか。

春日みかげ『織田信奈の野望 全国版22』KADOKAWAファンタジア文庫

母国・中国の作品文化の貧しさ

中国で制作される歴史作品は通説をそのまま再現したものが大半で、作者独自の解釈が加えられることはほとんどありません。なぜなら、中国の歴史教育で使用される国定教科書では、歴史人物のイメージや歴史事件の定義は、すべて中国共産党の思惑で統一化され、個人が勝手に人物のイメージを付与したり、事件を解釈したりすることは許されないからです。

例えば、一九八九年に起きた「天安門事件」は、政府により「反共産主義の海外勢力によるクーデター」と定義され、中国の人々は「反中国政府の外国人スパイが大学生と市民を煽動して起こした暴動である。人民解放軍の兵士たちは命をかけて祖国のために事件を鎮圧した。学生たちが兵士に襲いかかり、多くの人民解放軍兵士が犠牲になった（学生と市民の総死者数には言及せず）」と教え込まれています。

中国の歴史作品は中国共産党政府のプロパガンダという一面があるので、政府を批判するような内容の物語は検閲に引っかかり、企画段階でつぶされるか、もしくは作り手側が自主規制して企画そのものが提出されません。同時に政府にとって都合の悪い歴史的事実はほとんど隠蔽されており、毛沢東の偉業が語られることはあっても、彼が提唱した大躍進政策や文化大革命の失敗で何千万人もの命が失われた事実が語られることはありません。

史実をアレンジするなどもってのほかで、仮に中国で歴史的人物が現代に復活したり、萌えキャラ化しているような作品が発表されたら、「大人げない」「くだらない」「偉人をバカにしている」「侮辱罪だ」等々のレッテルが貼られ、酷評されるどころか批判が殺到するでしょう。

政府のプロパガンダに支配された中国の歴史作品は、教科書の内容をなぞったような味気ないものばかりです。僕は日本の書店やテレビから発信される数々の歴史作品を見るたびに、母国の作品文化の貧しさを実感するのです。

優れた歴史エンタメ作品が日中関係を変える

太平洋戦争後、日本には自国を素直に賞賛することをタブーとする自虐的な思想が蔓延し、一方、中国では日本を悪い国とみなす風潮が生まれました。これは両国の歴史作品が大きな影響を与えています。

最近まで、日本の学校図書館に必ずといっていいほど置かれていた漫画『**はだしのゲン**』（※27）は一見、原爆投下の悲惨さを訴えた作品に思えます。ところがその内容は昭和天皇を戦争犯罪者と批判し、「**三光作戦**」（※28）を史実とするなど、中国の戦争プロパガンダそのものでした。原爆投下直後の被災者の焼けただれた姿がグロテスクに描かれ、アメリカ兵による強姦や覚醒剤中毒の描写などもあり、児童が読むには、はなはだ不適切なものだと感じました。

このような内容の作品が各地で教材として使われていたのは、過激な描写によって子供たちに反戦・反日意識を植え付けるための左派系教育団体の策略だという見解もあります。現在の日本では国歌斉唱や国旗掲揚といった他国では日常的に行われていることすら〝右翼的〟と見なされます。左派系教育団体の陰謀だとしたら、それはある意味成功したと言えるでしょう。

中国では、日中戦争時代を舞台としたプロパガンダ的な抗日ドラマがひんぱんに放送されています。ドラマに登場する日本兵は中国の一般市民に対して略奪や暴行を繰り返す完全な悪役として描かれ、中国兵が素手で日本兵を八つ裂きにするなど荒唐無稽な描写が頻出します。幼年層や歴史に無知な層は抗日ドラマを観て日本に対する憎悪と嫌悪感をつのらせるのです。

このように、日中両国の人々は、歴史作品や教育によって偏ったイメージを刷り込まれてきましたが、その状態が一変する可能性があります。二〇〇〇年代以降、インターネット普及の影響などによって日本にも保守・愛国的な思想を肯定する風潮が生まれつつあるからです。

太平洋戦争を扱った日本の作品は、九〇年代以前は戦争の悲惨さや旧日本軍の横暴を描いたものがほとんどでしたが、近年では**『永遠の0』**（※29）や**『この世界の片隅に』**（※30）のように、戦時中の様子を中立・客観的な視点で描いた作品が発表され、高い評価を得ています。

また、中国でも海賊版ＤＶＤやインターネット動画で日本の作品に接する機会が増えています。『永遠の０』や『この世界の片隅で』のような作品を観て、旧日本軍は一方的な侵略者ではなかったこと、戦時中は自分たちと同じく日本の人々も苦境にあったことを知る中国人も増えているのです。現在もなお、多くのわだかまりが残る日中両国ですが、両国の関係を改善するのは、政治家の努力よりも優れた歴史エンターテインメント作品かもしれません。

日本の歴史は世界で一番素晴らしい

二〇一九年五月一日、浩宮徳仁殿下が天皇に即位されて令和時代が幕を開けました。天皇を戴く日本の歴史は、神話の時代から数えて二千六百八十一年、左派の学者も史実として認めている時代から数えても千五百年以上の長さを誇ります。これは他国では類をみないものです。それに対して中国の歴史は何度も王朝や政府の滅亡・交代を繰り返した結果です。現在の中華人民共和国は、古代の秦や唐、近代の清や中華民国とはまったく別の国です。中国の歴史は一国のものではなく、ヨーロッパや中東のような混沌とした地域史と見なすのが妥当でしょう。

元号制度は古代中国の発祥ですが、一九一一年の辛亥革命によって元号が廃止されました。それに対して日本では飛鳥時代の「大化」以降、現在もなお元号制度が継続しています。中国の人々は秦の始皇帝の時代の焚書坑儒などをはじめとして過去の歴史を捨て去ってきましたが、日本の人々は古来の文化を現在もなお守り続けているのです。

他国ではひんぱんに行われていた大虐殺や少数民族の弾圧は、日本の歴史ではさほど発生していません。明治維新のように政権が交代する際も、他国に比べると比較的穏やかに行われる印象を受けます。これは日本が他国の影響を受けにくい島国であることや、単一民族国家に近いことも要因でしょうが、なにより天皇を戴いた統一国家であることが理由ではないでしょうか。天皇家が父母のように国民を見守る日本では、国民全員が仲間や友人に近い関係です。だからこそ、日本人は歴史上の人物を敬い、生前は悪党とみなされた人物すら丁重に供養するのです。日本の歴史は、他国のように争いや侵略ではなく、調和が基本となっているように感じます。

調和の世界で栄枯盛衰を繰り返した日本の歴史上の人物には他国に比べて生き生きとしたイメージがあります。だからこそ、日本では世界で類をみないほど多くの歴史作品が生まれるのではないでしょうか。

（注釈）

※１ 麒麟がくる　二〇二〇年一月〜二一年二月まで放送されたＮＨＫ大河ドラマ。タイトルは王が「仁（じん）」の政治を行うとき伝説上の生物・麒麟が現れるという古来の伝承から。主人公・明智光秀を長谷川博己が演じた。信長の正妻を演じる予定だった沢尻エリカがスキャンダルで降り、川口春奈が演じることになった。

※２ 信長を殺した男〜本能寺の変 ４３１年目の真実〜（原作・明智憲三郎　作画・藤堂裕（ゆたか））原作者独自の見解によるノンフィクションをもとに漫画化。

※３ 国盗り物語　一九六三年から『サンデー毎日』で連載が開始された司馬遼太郎の歴史小説。斎藤道三（どうさん）が美濃（みの）の国を支配下に収めるまでを描いた「道三編」と明智光秀の視点から織田信長を描く「信長編」に分かれる。一九七三年にＮＨＫ大河ドラマ化された。

※４ 花の慶次―雲のかなたに―（原作・隆慶一郎　作画・原哲夫）歴史小説『一夢庵風流記』を漫画化した作品。『週刊少年ジャンプ』で一九九〇年〜九三年まで連載。超能力を持つ人物が登場するなど、少年漫画らしいダイナミックな脚色が施されている。諸事情により原作の朝鮮出兵編は〝琉球編〟に差し替えられている。

※５ へうげもの（原作・山田芳裕（よしひろ））戦国時代を舞台としながら茶道や美術を主題にした作品。『モーニング』（講談社）で二〇〇五年〜一七年まで連載。実在の人物をパロディ化したキャラが多

数登場するなど、「世界初の本格的歴史長編ギャグ漫画」を謳う。

※6 **キングダム**（原作・原泰久）　中国統一をめざす秦王・嬴政と後に将軍となる少年・信が大活躍する。『週刊ヤングジャンプ』で二〇〇六年より連載。武将同士の一騎討ちと軍隊の集団戦が並行して描かれるのが特徴。二〇一九年四月に公開された実写映画版は興行収入四十億円以上のヒットを記録した。

※7 **アンゴルモア　元寇合戦記**（原作・たかぎ七彦）　元・高麗軍の侵略から対馬を守る人々の争いを描く。二〇一三年、『サムライエース』（KADOKAWA）に連載。タイトルの「アンゴルモア」とはモンゴルの軍隊を表すとされるノストラダムスの予言書の言葉から。

※8 **篤姫**　宮尾登美子の小説『天璋院篤姫』を原作とした大河ドラマ。主演の宮崎あおいは放送当時二十二歳。これは現在もなお大河ドラマ主役の史上最年少記録となっている。放送当時は大ブームとなり、通常放送と並行してアンコール放送が行われた。

※9 **八重の桜**　綾瀬はるか主演の大河ドラマ。東北・会津藩（現在の福島県）出身の新島八重が主人公に採用されたのは、東日本大震災復興の意味を込めて。

※10 **火の鳥**（原作・手塚治虫）　不老不死の存在・火の鳥をめぐり葛藤する人々を描く。古代から未来まで時空間を超えて哲学・SF・輪廻転生など多彩なテーマを包括した内容は、日本の漫画史上最大のスケールともいわれている。手塚治虫が逝去したため作品は未完に終わったが、生前

のプロットをもとに桜庭一樹(さくらばかずき)による小説版「大地編」が、朝日新聞「be」紙上で二〇一九年四月六日から連載を開始した。

※11　**日出処の天子**（原作・山岸凉子）　一九八〇年より『LaLa』（白泉社）誌上で連載開始。美麗な厩戸皇子のキャラ設定は、後の歴史漫画に大きな影響を与えた。後に池田理代子が手がけた「聖徳太子」は同作と類似した部分が多く、盗作疑惑が取りざたされた。

※12　**ゴールデンカムイ**（原作・野田サトル）元陸軍兵の杉元佐一(さいち)とアイヌ人の少女アシリパが繰り広げるサバイバル漫画。二〇一四年から『週刊ヤングジャンプ』で連載が開始された。アイヌ人の文化が詳細に描かれていることや料理を作る場面が多いことが特徴。

※13　**ドリフターズ**（原作・平野耕太）　異世界に召喚された「漂流者（ドリフターズ）」と「廃棄物（エンズ）」の争いを描いた漫画。『ヤングキングアワーズ』（少年画報社）で二〇〇九年より連載。戦国時代の武将・島津豊久がジャケットのような服を着ているなど、歴史上の人物に荒唐無稽なアレンジが施されている。

※14　**魔界転生**（原作・山田風太郎）　一九六四年より大阪新聞で連載開始。連載時のタイトルは『おぼろ忍法帖』だった。一九八一年に劇場映画版が公開された際、天草四郎(あまくさしろう)を演じた沢田研二の妖艶な美しさが話題となった。

※15　一九九〇年代にSNKが発表した対戦格闘ゲーム「サムライスピリッツ・シリーズ」は、古

今東西の剣豪たちが争いを繰り広げるという『魔界転生』のオマージュ的内容。

※16 **アベンジャーズシリーズ**　二〇一二年に第一作公開。マーベル・コミックのヒーローたちが一堂に会して戦う。一九年に公開された最終作『アベンジャーズ／エンドゲーム』は映画史上に残る大ヒット作となった（二〇八ページ参照）。同シリーズに出演するサミュエル・L・ジャクソンは『魔界転生』で主演を務めた千葉真一の演技を参考にしていると語っている。

※17 **戦国BASARAシリーズ**　二〇〇五年に第一作が発売されたアクションゲームシリーズ。登場する戦国武将の大半が美形の青年となっている。アニメ、舞台、劇場映画など、さまざまな分野でメディアミックス展開している。

※18 **薄桜鬼～新撰組奇譚～**　二〇〇八年に発売されたPCゲーム。女性を対象にした恋愛アドベンチャーだが、幕末の史実が多く描かれており、歴史が学べるという声も。

※19 **文豪ストレイドッグス**（原作・朝霧カフカ　作画・春河35）　太宰治、芥川龍之介など、明治～昭和期の文豪をモデルにしたキャラが、自作にちなむ名を冠した能力を用いて戦う。コラボレーション企画で、綾辻行人・京極夏彦ら現代の小説家がキャラ化された。『ヤングエース』で二〇一三年より連載。

※20 **腐女子**　美形の同性愛男性キャラが登場する作品を好む女性の総称。

※21 **信長協奏曲**（原作・石井あゆみ）　織田信長と入れ替わったサブローの苦労を史実と絡めて描

く。『ゲッサン（月刊少年サンデー）』で二〇一三年より連載。一四年に小栗旬主演でドラマ化された。

※**22** **影武者**（監督・黒澤明）　一九八〇年に公開された黒澤作品。武田信玄とその影武者の物語。海外版プロデューサーには、フランシス・フォード・コッポラとジョージ・ルーカスが名を連ねた。

※**23** **影武者徳川家康**（原作・隆慶一郎）　一九八六年、『静岡新聞』で連載が開始された時代小説。徳川家康の死後、本人に成り代わった影武者・世良田二郎三郎（せらだじろうさぶろう）の運命を描く。一九九四年〜九五年まで『週刊少年ジャンプ』誌上で漫画版が連載された（作画・原哲夫）。

※**24** **織田信奈の野望**（原作・春日みかげ）　戦国武将がみな美少女という世界にタイムスリップした男子高校生・相良良春の運命を描くライトノベル。二〇一二年にテレビアニメ版が放送された。

※**25** 「戦国ＢＡＳＡＲＡ」や東村アキコの漫画『雪花の虎（ゆきばなのとら）』は小説家・八切止夫（やぎりとめお）が提唱した「上杉謙信女性説」を採用している。

※**26** **おんな城主 直虎**　柴崎コウの主演で二〇一七年に放送されたＮＨＫ大河ドラマ。男勝りの女性が戦うというエンターテインメント性の強い作風は漫画『ベルサイユのばら』（池田理代子）や『リボンの騎士』（手塚治虫）を参考にしたという。

※**27** **はだしのゲン**（原作・中沢啓治（けいじ））　原爆の悲惨さを訴えた作品として知られているが、「ギギギ……」「くやしいのう」といった独特のセリフは、近年インターネット上でネタにされることが多い。もともとは『週刊少年ジャンプ』に一九七三年〜七四年まで連載されたが、連載終了後に

朝日新聞が取り上げたことから注目を浴び、『文化評論』『教育評論』など、左派系教育団体の機関紙に続編が掲載された。

※28 三光作戦　日中戦争時に旧日本軍が行ったとされる「焼光」（焼きつくす）「殺光」（殺しつくす）「搶光」（奪いつくす）の「三光」を目的とした作戦。しかし、作戦名に中国語が使用されているため、中国政府によるプロパガンダを目的とした捏造の可能性が高い。

※29 永遠の0（原作・百田尚樹）　人気小説家・百田尚樹のデビュー作。二〇〇六年に刊行され、〇九年に文庫化されてから徐々に話題を呼びベストセラーとなった。二〇一三年に劇場映画版が公開。一部から「特攻隊員を美化している」と批判を浴びた。主人公の宮部久蔵は凄腕のゼロ戦乗りでありながら自分が助かることを最優先し、一度は特攻を拒否しながらもついに米空母に体当たりして戦死する。その真意を探っていた孫の姉弟は感動の事実を知ることになる。

※30 この世界の片隅に（原作・こうの史代）　呉市の家庭に嫁いだ少女・浦野すずの戦時中の生活を淡々と描いたこうの史代の漫画。『漫画アクション』（双葉社）に二〇〇七年〜〇九年まで連載され、一六年に公開された劇場アニメ版は高い評価を得た。しかし一八年に放送されたテレビドラマ版は現代編が登場するなどオリジナル要素が多く、原作者から「『六神合体ゴッドマーズ』より は原作に近いんじゃないかな!?」と微妙な評価をされた（『六神合体ゴッドマーズ』は、横山光輝の漫画『マーズ』を原作としているが、両作品の内容はまったく異なる。一七六ページ参照）。

第5章

ホラー・モンスター作品にみる日本人の宗教観

他の国とはまったく異なる日本の悪霊・怪獣

二〇一九年五月二十四日、日本でホラー映画「**リングシリーズ**」（※1）の第四作にあたる映画『**貞子**』（※2）が公開されました。その一週間後の五月三十一日には、六十年以上の歴史を誇る日本の怪獣映画「**ゴジラシリーズ**」（※3）を原作としたアメリカ映画『**ゴジラ　キング・オブ・モンスターズ**』（※4）が公開され、いずれもヒット作となりました。

リングシリーズに限らず、日本では昔からホラー作品が媒体を問わず量産され、人気を博しています。ゴジラシリーズなど一般に「怪獣もの」と呼ばれる巨大生物が出現する作品は一時下火になったものの、ここ数年は国内外で新作が発表され、再び活況を取り戻しつつあります。定期的に制作され続けているテレビ特撮の「**ウルトラシリーズ**」（※5）や「**戦隊ヒーローシリーズ**」（※6）のクライマックスに登場する巨大ロボット、あるいは二〇一〇年代屈指の話題作である『**進撃の巨人**』（※7）といった作品も怪獣ものの一ジャンルと言えるでしょう。

ホラーやモンスター作品は世界各国で制作されているジャンルですが、大半は子供向けの単純な勧善懲悪劇になりがちです。一方、日本の場合、内容が複雑で時には哲学めいたメッセージを持つ作品があり、大人の鑑賞に十分耐えうるものが多いのです。あらためて日本のホラー・モンスター作品をいくつか鑑賞してみたところ、その作風は日本に古くから根付いた宗教観や思想がベースになっていると感じました。

二〇〇〇年代以降、日本のホラー・モンスター作品が海外で相次いでリメイクされています。それは日本作品が持つ独特の雰囲気に海外のクリエイターたちが注目しているためでしょう。本章では世界中で注目されている日本のホラー・モンスター作品の魅力とその根底に流れる思想について語ります。

「貞子」と「ゴジラ」は絶対に倒せない

日本のホラー・モンスター作品の一番の特徴は、物語の中心であり人間に危害を及ぼす悪霊（あくりょう）や怪獣が超自然的な存在で、完全に撃退することはほぼ不可能ということです。

前述した「リングシリーズ」に登場する**山村貞子**（さだこ）（※8）は、彼女の怨念が込められた「呪いのビデオテープ」を観た者の前に現れて殺害するという悪霊です。貞子を物理的に撃退するのは不可能であり、殺されないためには一週間以内にビデオテープを他人に観せる、すなわち呪いの連鎖を拡大するしか方法がないという設定です。

「リングシリーズ」と同じく多くの派生作品が存在する「**呪怨**（じゅおん）**シリーズ**」（※9）に登場する**佐伯伽椰子**（かやこ）（※10）は、息子の俊雄とともに夫に虐待されたあげく、喉をカッターで切り裂かれて殺された結果、悪霊と化したという設定ですが、その怨念は貞子以上に悪質かつ強力で、自身が殺された家に足を踏み入れた者、または少しでも自分に関わったものを残虐な方法で殺害します。登場人物は伽椰子の怨念を断つ方法を思案するものの、無残に殺されるという理不尽な展開が「呪怨シリーズ」の持ち味です。

それに対して、アメリカ映画「**13日の金曜日シリーズ**」（※11）に登場するジェイソン・ボーヒーズや「**エルム街の悪夢シリーズ**」（※12）のフレディ・クルーガーといった殺人鬼たちは、マチェットナイフや鉄の爪を用いて物理的な方法で人間を殺害します。また、悪霊を倒すことができず後味の悪い結末となることが多い日本のホラー作品に比べると、ハリウッド作品の殺人鬼たちは最後には人間に退治されてハッピーエンドを迎えるのがお決まりのパターンです。日本のホラー作品に登場する悪霊が科学では理解不可能な超常現象に近いものだとしたら、アメリカ作品に登場する殺人鬼は現実の犯罪者に近い存在と言えるでしょう。

中国でもホラー作品は作られますが、登場する悪霊や妖怪はアメリカ映画と同じく単純なモンスターとして描かれ、最後は人間に撃退されて大団円となります。これは、一九八五年の香港映画『霊幻道士』で日本でも大ブームを巻き起こした妖怪**キョンシー**（※13）を思い出していただければわかりやすいでしょう。また、日本作品の悪霊が絶対的な恐怖の象徴として描かれるのに対し、アメリカや中国作品のモンスターたちはシリーズが続くうちに、徐々にコミカルな様相を呈するのもお決まりのパターンになっています。それに比べ、日本のホラー作品には、日本人の霊的存在に対する意識が明確に反映されていると思います。

　映画『**シン・ゴジラ**』（※14）に登場する怪獣ゴジラは短期間に進化を繰り返す「完全生物」という設定で、通常兵器による攻撃ではほとんどダメージを与えられません。作中では特殊な製法で作られた「血液凝固剤」という現実には存在しない物質をゴジラの口中に投与し、ようやく活動を停止させることに成功したものの、復活の日を予感させながら映画は終わります。ゴジラ映画に詳しい知人から聞いたところ、シリーズで人類がゴジラを殺したのは第一作『**ゴジラ**』（※15）のみで、他の作品では、ゴジラを一時的に撤退させるか、どこかに封印することしかできなかったそうです（※16）。

　参考までに、アメリカの怪獣映画の元祖と言われる一九三三年版『**キングコング**』（※17）を視聴してみたのですが、作中に登場するコングは、人間の女性に恋をするなど、非常に人間くさい存在として描かれており、表情がまったく読み取れない『シン・ゴジラ』

のゴジラとは対極的な存在です。また、キングコングは最終的に戦闘機の機銃で殺されるなど、強さは巨大な猛獣程度といったところで、都市を壊滅させるほどの能力を持つゴジラとは大きな差があります。

見比べてみると、外国作品に登場する怪物は犯罪者や猛獣といった現実的な存在に近いものであるのに対し、日本作品における悪霊や怪獣は、神や悪魔・妖怪といった超自然的な存在に近い印象を受けます。これは日本独自の思想や環境が深く関与しているためだと思います。

第2章でも少し触れましたが、日本には生前に恨みを持って死亡した人物が悪霊と化して災いをもたらすという「怨霊信仰」が存在し、怨霊は祀ることでしか対処できないと考えられています。「リングシリーズ」の貞子は、深い恨みを残して死亡した人物ですが、ビデオテープを他人に観せるという対処方法は、恨みを多くの人に語り継ぐという祀りの儀式を連想させます。山や海、森や川など、古くから豊かな自然に囲まれて暮らしてきた日本人は、一方で地震や台風、津波など数々の自然災害に見舞われてきました。「天災」という言葉があるように、人智をはるかに超越したその力を、人々は神の怒りと見なしたのです。天災を完全に阻止することは人間の力では不可能です。暴れまわる怪獣は荒ぶる神の姿を象徴しているように思えます。

それに対して、共産党政府により宗教が否定されている中国や、一神教のキリスト教が思想のバックボーンとなっている欧米圏では、「超自然的な存在」とは単なる怪物にすぎません。だからこそ、劇中ではためらいもなく殺害されます。ジェイソンやフレディ、キョンシーが醜悪な怪物の容姿を持つのに対し、生前の貞子が美しい女性（※18）として描かれるのも、日本人の霊的存在に対する意識を象徴していると感じます。自然と共存してきた日本に対し、中国や欧米では、そのほとんどが自然を征服して誕生した国です。だからこそ、作品に登場する怪獣たちは人間たちにとっては駆逐（くちく）の対象に過ぎないのです。

前章でも紹介した『寄生獣』のラストは人類の敵であった寄生生物と共存するという内容です。これを見て多くの外国人は疑問を感じるでしょうが、僕は古くから災いとともに生きてきた日本人の発想らしいと感心しました。古代宗教の基本理念ともいえる「自然崇拝」は、中国や欧米圏では廃（すた）れてしまった一方で、日本には現在も根付いています。だからこそ、日本作品の心霊や怪獣たちは、超常的な存在として君臨するのです。

キョンシーVS「ZQN」――個々にドラマのある和製ゾンビ

日本の作品では心霊・怪獣ですら、多くの場合、複雑なキャラ設定になっています。

何らかの力によって動けるようになった死者が人間を襲う〝**ゾンビもの**〟（※19）は、世界中で制作されています。中国のキョンシーも呪術で蘇った死体ですから、ゾンビの一種と言えるでしょう。一般的な作品に登場するゾンビは、集団で出現し、知性を持たず本能のままに人間を襲う怪物で、主人公たちと敵対する存在というよりは行く手を阻む「障害物」といった描写となっています。

しかし、**『アイアムアヒーロー』**（※20）という日本の漫画に登場する「ＺＱＮ」と呼ばれるゾンビは、噛みつかれた人間も感染してゾンビ化するなど、基本的な設定は既存の作品を踏襲しているのですが、ＺＱＮには「人間だったころの生活習慣を繰り返す」という性質があり、例えば、生前は買い物依存症だった女性はＺＱＮになってもブランド店の周囲を徘徊したり、陸上男子だったＺＱＮは走り続け、喫茶店の従業員だったＺＱＮは「ご注文いかがですか？」と注文票にメモする行為を繰り返すなど、人間の活動を風刺した様子が描かれ、読者に滑稽、同情、悲哀といった複雑な感情を抱かせることに成功しています。また、ある程度の理性を持つ「半感染状態」となった早狩比呂美というヒロイン格のキャラは、ＺＱＮ退治を名目にしたグループに強姦されそうになります。『アイアムアヒーロー』では、無法地帯となった世界を利用して悪事を働こうとする人間がＺＱＮ以上の恐怖として描かれているのもポイントです。

比呂美は半感染状態になった後、猫パンチをしたり猫缶を食べたりするなど、なぜか猫に近い行動を繰り返すようになります。本来は醜悪で不気味な存在であるゾンビに「萌え要素」を加えるのは、日本人ならではの発想だと思います。日本の女子学生の制服になっているセーラー服は、本来は海軍の制服です。欧米で子供服として改良されたものが日本で制服に採用されたそうですが、現在の日本のセーラー服は、萌えアイテムとして海外にも愛好家を生み出しています。海外の既存の文化をまったく違う方向に「**魔改造**（まかいぞう）」（※21）するのは日本人の得意技（わざ）です。

太平洋戦争終結から九年後の一九五四年に制作された『ゴジラ』（第一作）に登場するゴジラは、核兵器実験の影響で棲処（すみか）を破壊された古代生物という設定で、東京に上陸したのは人類に対する「報復」であると推測できます。制作スタッフのほぼ全員が戦争体験者であるため、登場人物が再び疎開（そかい）することになるかもしれないと嘆いたり、ゴジラの襲撃から逃げ遅れた娘を抱いた母親が「今からお父様のところへ行こうね」とつぶやくなど、随所に戦時中の空襲を連想させる描写があります。

怪獣がほぼ毎回登場する前出のウルトラシリーズでは、怪獣を退治するウルトラマンや科学特捜隊（『ウルトラセブン』ではウルトラ警備隊）のメンバーを「怪獣を殺す怖い人たち」と少女が批判するだけでなく、主人公が所属する組織のリーダーが海底に住む異民族を滅亡させるなど、善悪が逆転したかのような話が存在します。前の章でも述べましたが、本来は低年齢層を対象とした作品に複雑な設定を加えるのも日本のクリエイターの特徴です。

おとぎ話に擬人化された動物が登場する深い理由

中国人は、日本のおとぎ話に擬人化された動物が多く登場するのは、単純に「子供向けの物語だから」、「動物は可愛いから」だと考えがちです。しかし、日本の動物が登場するおとぎ話は、動物でないと成り立たない物語ばかりです。僕は、おとぎ話には、日本人の動物に対する意識が表れていると思います。

『手袋を買いに』（※22）や、**『かちかち山』**（※23）**『鶴の恩返し』**（※24）、それに**「狐の嫁入り」**（※25）など、日本の童話や古くから伝わるおとぎ話や伝承には、擬人化した不思議な力を持つ動物がひんぱんに登場します。現在でも漫画**『BEASTERS（ビースターズ）』**（※26）やテレビアニメ**『けものフレンズ』**（※27）など擬人化された動物を主人公にした作品が制作されており、**『妖怪ウォッチ』**（※28）のジバニャンや『犬夜叉』の雲母（きらら）のように動物の精霊のような存在が作品のマスコットキャラになる例が多々あります。

アニミズムが思想の根底にある日本では、人間だけではなく動物も神に近い存在として祀られています。僕が来日したばかりのころ、街中（まちなか）に稲荷（いなり）神社（狐は稲荷神の使い）が点在することに驚かされました。そのような背景があるからこそ、日本の作品には霊的な存在の動物キャラが数多く登場するのでしょう。『西遊記』などの影響から、中国でも似たようなキャラが生まれていると思われている方もおられるかもしれませんが、古来、中国には動物霊信仰は存在しません。昔話では孫悟空のような妖怪や麒麟（きりん）のような神獣は描かれるものの、ハクビシンやキンシコウ（中国原産の猿）が恩返しをしたり化けて出るという話は存在しないのです。

旧約聖書には、牛・豚・鶏・羊といった家畜は人間に食べられるために神が作ったものと記されていると聞いたことがあります。旧約聖書が生まれた中東は乾燥した砂漠地帯で作物が育ちづらい地域です。そのため、人々が家畜を殺して食べなければ生きていけないことを教義で正当化したのでしょう。砂漠・乾燥地帯が多い中国にも似たような思想が存在し、古くから動物は食料・毛皮調達など人間に利用されるだけの存在と見なされており、魂が宿っているとは考えられていません。それに対し、山河に囲まれ雨量が豊富な日本では、山菜や魚など食料が身近に存在する環境でした。そのため、食料用の家畜を育てる必要がなく、動物たちを人間と同じく自然界の一員とみなし、意思を持つ存在とする風潮が生まれたのだと思います。

日本と中国の動物に対する意識は、ペットの扱い方を見れば一目瞭然です。中国の都市を歩いていると、ピンクやレインボー柄に染められた犬が飼い主と散歩している光景を見かけます。中国では飼い犬を染め上げることは人間が着飾るのと同様の行為と見なされており、これは「犬美容」と呼ばれます。

犬美容を行う際、犬たちは全身を染めるために大量の染料の中に投入され、溺死(できし)してしまうことさえあります。染料に染まった犬の多くがアレルギー反応を起こして皮膚に炎症が生じ、ひどい場合は重度の皮膚ガンになってしまうこともあるのです。また染料は犬の目や鼻に強い刺激を与えるため、視力が著しく低下したり常に鼻水を垂らしたりしている飼い犬が中国には多く存在します。犬美容を施された犬の平均寿命は普通の犬の半分程度と言われています。このような行為はペットを大切に扱う傾向がある日本では考えられないことです。

日本人がペットを家族や仲間に近い存在と考えているのに対し、中国人は玩具やアクセサリーのようなものと認識しています。また、中国には動物保護法は存在せず、飼い主が飽きるとペットだった犬や猫を捨ててしまう事例が頻発しています。その結果、現在の中国には野良化した犬や猫が大量に発生しているのですが、元飼い主は罪に問われません。野良犬が通行人を襲うという事件が社会問題にもなっているのです。

ものには作り手の魂が宿っている

東京・築地の旧魚市場近くには「波除稲荷神社」という魚を祀る神社が存在し、人間の食料となった魚に感謝する「お魚供養」が行われているそうです。日本人はペットのみならず食用の生物ですら丁重に弔います。食材を切り刻み、大量の調味料で味を整える中国料理とは異なり、日本料理は刺身や焼き魚など、素材の持ち味をできる限り生かした調理法が用いられます。これは日本人が食材にされる生物に敬意を払っているためかもしれません。日本人は自分を生かすために犠牲となった生物に感謝しているからこそ、食事の前に「いただきます」と唱えるのです。お魚供養の光景を中国人に見せると、たいていは「偽善だ」「同情するくらいなら食べなければいいのに」と冷笑します。これらは現実的な意見かもしれませんが、それでも僕は命あるものすべてを祀ろうとする日本の思想に共感します。

命あるものだけでなく命がないものにすら魂が宿ると日本人は考えます。「針供養」「包丁塚」「人形供養」といった道具や玩具に感謝する供養は日本各地の神社で実施されています。廃車にして処分する前に神主に供養を依頼したり、鉛筆を製造する企業が材料となる木を祀った神社を敷地内に設置することもあります。日本の妖怪ものにひんぱんに登場する「付喪神（つくもがみ）」（九十九神とも。長い年月を経て魂が宿った道具に対する信仰）も外国には存在しない思想です。これは「すべてに魂が宿る」という日本のアニミズムを象徴したものと言えるでしょう。

『アンパンマン』（※29）など、日本の低年齢向けの作品には食べ物や道具をモチーフにしたキャラがひんぱんに登場します。これは日本人が非生物にキャラクター性を感じていることと同時に「ものには作り手の魂が宿っている」という事実を子供たちに教えるためではないでしょうか。アニミズムが根付いていない中国では、日本のように道具が大切に扱われることはありません。学校の下駄箱には無秩序に靴が放り込まれ、調理人たちは皿の上に乱雑に料理を盛りつけます。食べ物や道具をモチーフにした作品はほとんど存在せず、日本の「ゆるキャラ」のようなすぐれたデフォルメが施されたキャラも生まれません。

日本には、**「コックリさん」**（※30）や**「お菊人形」**（※31）のように、動物霊や道具に宿る霊をモチーフにした儀式や怪談も存在します。日本にあるすべてのものに「魂」と呼ばれる精神が宿っています。だからこそ、日本のホラー作品からは他国の作品にはない迫真性が感じられるのではないでしょうか。

『進撃の巨人』が象徴する防衛問題

作者の諫山創（いさやまはじめ）が日本の怪獣映画から多大な影響を受けたと公言している（※32）『進撃の巨人』は、人類と彼らを貪り食う（むさぼりくう）巨人たちとの争いを描いた作品です。作中の人類は巨大な壁の内側を居住区としているのですが、僕はこの設定は日本の現状を象徴しているという持論を以前から主張しています。

作中の設定によると、人類が住む壁に囲まれた地域の総面積は、日本の総面積にほぼ匹敵します。この話は数年前に中国のネット掲示板で話題になりました。また、作中の人物の大半が西洋系で、主要キャラのミカサ・アッカーマンのような黒髪・黒い瞳を持つ東洋系の人物が減少しているという設定は、少子高齢化で人口減少が進む日本人を象徴しているのではないでしょうか。

諫山創『進撃の巨人（1）』講談社　週刊少年マガジンコミックス

また、作中で人類が暮らす地域は壁によって複数に分かれているのですが、一番外側にある地域は「シガンシナ区」と名付けられています。「シナ」、すなわち「支那」とは、太平洋戦争の直後まで中国の呼称として使われていた言葉で、現代の日本では〝差別語〟とされています。それが最も外側にあるというとのは、まるで中国と日本の位置関係を表しているかのようです。壁の中で人類を統治する政府は「巨人から人類を守る」という大義を振りかざして腐敗政治を行っているのですが、これは特定の国を仮想敵国として独裁政治を行う中国政府を連想させます。「壁の外の世界に存在する青い海が美しい」と記された書籍が禁書にされ、所持したり世間に広めようとする人物は捕らえられてしまうという作中の描写は、中国政府による思想弾圧を連想させます。

作者の諫山創は、旧日本軍の戦艦や軍人をモデルに作中のキャラを設定したこと（※33）、SNS上で日本の朝鮮統治時代を肯定するような発言を行っていることから、保守・愛国的な思想を持つ人物だと推測されます。壁の中の地域は日本、壁の中に住む人々を襲う巨人は中国・韓国・北朝鮮・ロシアといった、日本に挑発的な行為を仕掛ける周辺諸国を象徴しているのかもしれません。作中の登場人物たちは、圧倒的な戦力差を持つ巨人に果敢に立ち向かうのですが、これは清国やロシア帝国といった大国に立ち向かい勝利した明治期の日本を参考にしているのかもしれません。

現在、周辺諸国の状況を受け、日本政府は防衛力を強化しようとしています。しかし、防衛計画が公表されるたびに反体制派や左派・リベラル寄りの評論家が批判するのが通例になっています。二〇一九年に日本政府が約一兆二千億円の予算でアメリカからF－35戦闘機の購入を決めた際「税金の無駄」「福祉や教育費に使え」といった意見がSNS上にあふれました。しかし、現在の日本は国土の一部が他国の武力によって実効支配され、領空・領海内に他国の戦闘機や軍艦が侵入するなど、いつ軍事的衝突が発生してもおかしくない状態です。反対派の意見はあまりにも現状を把握していないものといえます。

『進撃の巨人』の登場人物は「立体機動装置」や「超硬質ブレード」といった兵器を用いて巨人に立ち向かいますが、現在の日本は憲法九条の制約などにより防衛のための武力すら満足に使用できない状況です。そのような中で、世界最強の軍事力を持つアメリカと蜜月関係となり新型の戦闘機を大量に購入すれば、実際に武力を用いなくても周辺諸国に対する大きな抑止力になるでしょう。『進撃の巨人』の作中の壁は人類を守るためのものですが、巨人たちに破壊された結果、多くの人々が虐殺されました。もし、壁がより強固なものであったならば巨人たちの侵入は防げたかもしれません。平和と安全を確保するためには防衛力の強化は必須なのです。

日本に警鐘を鳴らす『進撃の巨人』

それに、もし壁の中で暮らす人たちを日本人だとするなら、「壁」は憲法九条そのものだと考えることもできます。

それを象徴しているシーンがあります。作中冒頭で主人公のエレンが、本来巨人が攻めてきた時に戦うはずの駐屯兵団の団員たちが昼間から泥酔している場面に遭遇し、「そんなんでイザッて時に（巨人と）戦えんの⁉」と問い詰める場面があります。それに対し駐屯兵団の一人は「ヤツらが壁を壊すことがあったら、そらしっかりやるさ。しかしな、そんなこと100年間で一度もないんだぜ」と反論する。再びエレンが、「じゃあ、そもそもヤツらと戦う覚悟なんかねぇんだな⁉」と聞くと、別の団員が「ねぇな！」と返答するのです。このシーンは、まさに今日の平和ボケした日本人の感覚そのものだと僕は感じます。

憲法九条があれば、日本は平和であり続ける――左派をはじめ、純粋な多くの日本人も駐屯兵団の彼らと同じく、何の保証もない憲法九条の〝平和幻想〟を信じています。

しかし憲法九条によって、日本は戦争（交戦）を放棄しても、戦争（交戦）は日本を放棄しているわけではありません。事実、尖閣諸島の周辺では事実上の軍艦である中国海警局の公船が絶えず領海侵犯を繰り返しており、まさに一触即発の緊張状態が頻繁に起こっています。国際的にみれば、誰が見ても明らかな侵略行為ですし、いつ戦闘状態になってもおかしくありません。にもかかわらず、多くの日本人はいくら中国公船が領海侵犯しても、いくら北朝鮮の弾道ミサイルが日本列島の上空を横断しても、「あぁ、またか」と半ば慣れてしまっているのが現状です。明らかに日本に敵意を示している国、それも隣国が日本に攻めてきているのは事実なのですが、これほど危機意識がないのは、他の国々からすると考えられないことです。

作中でも、上述した主人公エレンと駐屯兵団のやり取りのあとで、エレンの親友であるアルミンがまるで日本人に訴えかけているようなセリフを口にします。

「確かに、この壁の中は未来永劫安全だと信じきっている人はどうかと思うよ。100年間壁が壊されなかったからといって、今日壊されない保証なんかどこにもないのに……」

そして、このシーンの直後、とてつもない地響きと共に超大型巨人が現れ、それまで街を外から守っていた五十メートルの壁を難なく破壊し、人々は壁の中に侵入してきた巨人たちに次々と食い殺されていきます。

それは日本も同じで、日本を敵対視する国（巨人）からすれば、憲法九条（壁）の存在など関係ありません。憲法九条さえあれば、戦力を持たずとも平和が続くと思ったら大間違いです。今日、明日、明後日……いつ中国が尖閣諸島、ひいては沖縄本島を占領しにくるかわかりません。いくら綺麗ごとを口にしていても、平和な日常は突如として崩壊する危険性を孕んでいる——そんな日本人の危機意識のなさ、迫りくる敵国の脅威を『進撃の巨人』は教えてくれているのではないでしょうか。

中国と瓜二つの『約束のネバーランド』

実写映画化もされた大ヒット漫画『約束のネバーランド』は、グレイス=フィールドハウスという児童養護施設が舞台のファンタジー作品。ママと呼ばれる世話役のイザベラのもと幸せに暮らしていた主人公のエマたちが、ある日、自分たちは「鬼」と呼ばれる知能を持つ怪物に献上される(食べられる)ための食用児で、施設は食用児を育てるための農園だったと知り、他の食用児と共に脱出を図ります。

この漫画を読んで最初に感じたのは、共産党が支配する現在の中国と世界観が酷似しているということです。

まず印象的なのは、この漫画の世界が中国同様、「ウソ」と「暴力」によって支配されているということ。作中冒頭の段階では、エマたち食用児は上述したような施設や自分たちの本当の存在意義を知りません。あくまで自分たちは単なる孤児で、里親が見つかった子どもから順番に施設を離れ、外の世界で新しい家族と幸せに暮らすのだと信じています。

しかし実際には、施設を出た子どもたちは残酷にも鬼たちの食料として「出荷」、つまり食べられたに過ぎません。それに施設の外には鬼が住む世界が広がっているため、たとえ脱獄に成功しても、たちまち施設を管理している鬼たちが武器を持って追いかけてくるので、捕らわれるか、もしくは「出荷」と称して殺されてしまいます。このような収容施設とそこから逃げ出すという描写は、ウイグル人やチベット人が中国人から極悪非道の思想改造を受けている強制収容所と重なります。

また、施設の真実を知ったことを監視役であるママやシスターに感づかれれば、出荷時期を早めさせられてしまいます。そのため主人公のエマたちも、イザベラに何度も問い詰められますが、ボロを出さないよう必死に平常心を保ちながら知らないフリをするのです。

それは中国も同じです。どれだけ中国共産党や習近平のことが嫌いでも、悪口など決して言えませんし、中国共産党の政策、またそれが「悪行」だと気づいても、「天安門事件？　何それ」とわざと知らないフリをしています。そうでもしなければ、中国では生きていけないのです。全体主義体制を敷く独裁国家である以上、どこで誰が見ているか、告げ口するかわかりませんし、もし共産党から反乱分子だと見なされれば、すぐに消されてしまいますから。

昨今の中国を思わせるような描写は他にもあります。鬼たちからすれば、食料である子どもたちを隔離する施設は牧場（作中では農園と呼ばれている）、そして食用児は家畜と言えます。それを象徴するかのごとく、食用児たちは生まれた時に全員、耳の裏に発信機を埋め込まれているのです。優しいママを演じるイザベラたち監視役は、携帯している懐中時計型の機械で常にすべての食用児の居場所を確認できる。中国共産党がスマートシティ構想の一環として推し進める、街中のいたる所に監視カメラを設置し、電子機器のGPSで国民を絶えずマークする国民監視社会を彷彿とさせます。

さらに、この漫画の面白いところは、ママであるイザベラや彼女のサポートをするシスターのクローネたち鬼側の監視役も、実は施設の出身だということです。

実は鬼たちは出荷の際、優秀な女の子を選別し、鬼の食料として出荷しない代わりにママとして食用児たちの世話役をさせるのです。出荷されて鬼たちの食料となるか、それとも出荷までの期間、食用児たちのママとして暮らし、真実を知りながら鬼の出荷に加担するか――そのような選択を迫られるなかで、シスターのクローネは、「私は農園でしか生きられない。だから、その中で一番イイ暮らしがしたいのよ。ママとして偽りでも人間の暮らしを。小さな箱庭のあたたかな家庭の可愛い子供達の可愛い愛情に囲まれて母になりたいの」と胸中を吐露します。

中国も同様に、優秀な人材を買収して引き抜くことで、スパイを育成しています。そうして、それまでは中国共産党の支配する中国で被害者だった人たちも、引き抜かれたあとは共産党に取り込まれ、幹部としていつしか加害者側に回るのです。かつて食用児という被害者だった身から、いつしか農園のシステムを維持する鬼側の加害者になったイザベラやクローネと同じ境遇です。そんな複雑な人間心情まで、この作品は見事に描いています。

もちろん、これは中国という「差別社会」で生きてきた人間だからこそ感じる解釈かもしれませんが、意図的でなくても、ここまで実社会と重ねられるほど、この漫画は細部まで整合性のとれた繊細な作品だと思います。

霊とともに生きる日本人

街中に寺社仏閣が立ち並び、「パワースポット」と呼ばれる神聖な場所が各地に点在するなど、他国に比べ霊的な空間が多い日本では、独自のホラー作品が多数制作されます。外国のホラー作品が威嚇（いかく）やグロテスクさを恐怖のポイントとしているのに対し、日本製ホラーは徐々に忍び寄ってくる不気味さが特徴です。それは、日本人は霊をどこか神聖視しているためではないでしょうか。

これは編集者の意見なのですが、『ジョジョの奇妙な冒険』のスタンド、漫画『**亜人**（あじん）』（※34）の黒い幽霊、ゲーム「**ペルソナシリーズ**」（※35）のペルソナなど、背後霊のような存在を操って戦闘を行う作品が人気を博しているのは、日本人が霊的な存在を身近に感じているからではないか、とのことです。日本人は古来、霊とともに生きています。

日本で巨大なモンスターが登場する作品が多く制作されるのは、天災が要因ではないかという推測は前述しましたが、その代表格であるゴジラは、当初は人類の脅威として現れるも、シリーズが進むにつれて人類の味方となり悪に立ち向かう存在になっていきました。それは、日本人が天災をもたらす自然を恐れると同時に、日光や雨など、さまざまな恩恵をもたらしてくれることに対する感謝の気持ちを抱いているためだと思います。

科学技術の進んだ工業国でありながら、日本には同時に豊かな自然と多くの宗教的施設が存在します。そのような他国に類をみない特異な状況であるからこそ、独自のホラー・モンスター作品が誕生するのです。宗教心が根付き自然が豊かだった頃の中国では、清（しん）の時代に『**聊斎志異**（りょうさいしい）』（※36）という傑作ホラー短編集が誕生しました。しかし、共産党政府によって宗教が否定され、経済的発展のために自然が破壊されている現在の中国では、もはやそのような優れた作品は生まれるべくもありません。

二〇一九年五月、中国政府は国定教科書に掲載されている『**マッチ売りの少女**』（※37）から「神様」「礼拝」「教会」「信仰」「安息」などのキーワードを削除しました、理由はキリスト教思想の弾圧です。もともと『マッチ売りの少女』は貧しさをテーマにした内容で、社会主義者が資本主義を批判する際によく引き合いに出す話ですが、中国共産党はこのような作品でさえ全面的には容認しません。

日中のこうした違いを見れば、両国の現状が明らかです。

（注釈）

※1 リングシリーズ　一九九一年に刊行された鈴木光司（こうじ）の小説『リング』を原作とするホラー映画シリーズ。小説よりさらに怪奇性を前面に押し出したことで人気を博し、「Ｊホラー」（日本製ホラー映画）ブームの火付け役となった。

※2 貞子（監督・中田秀夫、原作・鈴木光司）　原作は小説『タイド』（二〇一三年刊）。YouTubeが物語の事件の発端になるなど、公開当時の世相を反映した作風が特徴。

※3 ゴジラシリーズ　一九五四年に公開された『ゴジラ』（監督・本多猪四郎（いしろう）、特撮・円谷英二（つぶらや））を第一作とする巨大怪獣映画の総称。第二十九作にあたる『シン・ゴジラ』（一一九ページ参照）で、日本の実写映画シリーズとしては史上初の観客動員数累計一億人を突破した。

※4 ゴジラ キング・オブ・モンスターズ（監督 マイケル・ドハティ） アメリカの「レジェンダリー・ピクチャーズ」が手がける「GODZILLAシリーズ」第三作。人間ドラマを軸とした前作とは異なり、怪獣同士の争いがメインになっている。

※5 ウルトラシリーズ 一九六六年一月〜七月までTBS系列で放送された『ウルトラQ』を前身とし、同年七月から放送された『ウルトラマン』を第一作とする特撮ドラマシリーズの総称。ウルトラマン、ウルトラセブンなど「ウルトラ〜」と名付けられた「光の巨人」が人類を守るために怪獣や宇宙人と戦う物語。

※6 戦隊ヒーローシリーズ 一九七五年からNET（現テレビ朝日）系列で放送された『秘密戦隊ゴレンジャー』を第一作とする特撮ドラマシリーズの総称。カラフルなマスクとスーツを着用した複数のヒーローが悪の組織に立ち向かうというのが基本コンセプト。

※7 進撃の巨人（原作・諫山創（いさやまはじめ）） 人類と巨人の争いを描いたパニック・ファンタジー。二〇〇九年〜二一年まで『別冊少年マガジン』で連載。巨人が人間を貪り食うという、あまりにも衝撃的な内容のため、一度は連載を拒否された経緯を持つ。二〇二〇年秋からNHKでテレビアニメ版第四期（ザ・ファイナル・シーズン）が放送された。

※8 山村貞子 映画「リングシリーズ」に登場する悪霊で、シリーズ中の事件の元凶。顔の前に垂らした黒髪、薄汚れた白い衣装という造形は、以後のJホラーに登場する幽霊の雛型（ひながた）になった。

※**9 呪怨シリーズ**　二〇〇〇年に発表された清水崇（たかし）監督のビデオ作品『呪怨』を第一作とするホラー作品の総称。登場人物が突然殺害されるなどの不条理さが特徴。

※**10 佐伯伽倻子**　呪怨シリーズに登場する悪霊。息子の敏雄と同時に出現することが多い。「あああぁ……」という独特の奇声を放つ理由は、夫の剛雄に首を掻（か）き切られたという設定から。

※**11 13日の金曜日シリーズ**　一九八〇年に公開された『13日の金曜日』（ショーン・S・カニンガム監督）を第一作とするアメリカのホラー映画シリーズ。怪物化したジェイソンが殺人を繰り返すというのが物語の基本プロットだが、第一作の真犯人（殺人鬼の正体）はジェイソンの母親だった。

※**12 エルム街の悪夢シリーズ**　一九八四年に公開された『エルム街の悪夢』（ウェス・クレイヴン監督）が第一作。作中に登場する殺人鬼フレディは人々の夢の中に現れ殺人行為を繰り返す（夢の中で殺害された人物は実際に死亡する）。

※**13 キョンシー**　呪術で動かされる死体。体は硬直しているため関節が曲がらず、手を前方に突き出し飛び跳ねるようにして移動する。その特異でユーモラスなキャラクター性は日本でも人気を博し、一九八〇年代後期には『霊幻道士』や『幽幻道士（ゆうげん）』（こちらは八六年制作の台湾映画）といったキョンシー映画が盛んにテレビ放送された。

※**14 シン・ゴジラ**（総監督・脚本　庵野（あんの）秀明　監督・特技監督　樋口真嗣（しんじ））　二〇一六年に公開され

たシリーズ第二十九作。「現実の日本にゴジラが現れたらどうなるか？」をテーマにしたリアリティあふれる作風は各方面から絶賛され、興行収入八十二・五億円を記録、日本アカデミー賞各賞を独占した。

※15 ゴジラ（監督・本多猪四郎、特撮・円谷英二）　一九五四年公開。「水爆大怪獣映画」と銘打ち、戦争体験世代が核の恐怖を訴えた作品で、不朽の名作と評価される。芹沢大助博士が開発した「オキシジェン・デストロイヤー」という化学兵器によってゴジラは海中に没する。「オキシジェン・デストロイヤー」が軍事兵器に悪用されることを恐れた芹沢博士は、彼自身しか知らない製造方法を永遠に葬り去るため、ゴジラと運命を共にする。

※16 シリーズ第二作『ゴジラの逆襲』（一九五五年）では氷山に閉じ込め、シリーズ第十六作『ゴジラ』（一九八四年）では、伊豆大島の三原山に超音波で誘導し火口に突き落とすという形で、人類はゴジラの活動停止に成功した。

※17 キングコング（監督　メリアン・C・クーパー、アーネスト・B・シェードザック）一九三三年に公開されたアメリカ映画。人形アニメを使った特撮シーンや、人間の女性に恋をするコングの設定は多くの作品に影響を与え、現在までに多くのリメイク・派生作品が作られた。

※18 小説版では「今まで見たことがないような美人」と形容され、映画版では仲間由紀恵（二〇〇〇年『リング0バースデイ』）や橋本愛（二〇一二年『貞子3D』）も貞子役を演じた。

※19 ゾンビもの　「頭部を潰さないと活動を停止しない」「腐乱死体が呻(うめ)きながら近寄る」という現在のゾンビのイメージは一九七八年に公開されたイタリア映画『ゾンビ』（ジョージ・A・ロメロ監督）が雛型と言われている。

※20 アイアムアヒーロー（原作・花沢健吾）　売れない漫画家・鈴木秀雄が、ZQNがはびこる世界で逃亡を続ける。日常生活が突如崩壊する描写が秀逸。『ビッグコミックスピリッツ』で二〇〇九年から一七年まで連載。一六年に劇場映画版が公開された。

※21 魔改造　既存のものをまったく異なるものにアレンジすること。語源は漫画『プラモ狂四郎』（原作　クラフト団、やまと虹一(こういち)）から。

※22 手袋を買いに　新美南吉(にいみなんきち)作の児童文学。母ギツネに片手を人間の手に変えてもらった子ギツネが町へ手袋を買いに行く。店の戸の隙間から、子ギツネはついキツネのままの手を差し出してしまうが……。

※23 かちかち山　室町時代に生まれたとされる昔話。お婆さんを殺したタヌキをウサギが成敗(せいばい)する。

※24 鶴の恩返し　お爺さんに助けられた鶴が人間の姿を借りて恩返しをする。この話の結末のように「見てはいけないといわれたものを見てしまったために悲劇が起こる」という物語は世界中に伝わっており、「見るなのタブー」と呼ばれている。

※25 **狐の嫁入り**　夜間に火が並んで見える怪現象を、昔の人はキツネの嫁入り行列の提灯（ちょうちん）の火と考えた。天気雨のことも「狐の嫁入り」と呼ぶ。

※**26 BEASTERS**（原作・板垣巴留（ぱる））　擬人化された動物たちが名門校に通い、肉食獣が草食獣を襲うなど、実際の動物の生態に基づいた物語が描かれる。二〇一六年～二〇二〇年まで『週刊少年チャンピオン』で連載された。

※**27 けものフレンズ**　動物を擬人化した「フレンズ」と呼ばれる少女たちの冒険を描く。二〇一七年一月にテレビ東京ほかで第一期テレビアニメが放送されたが、放送終了後に監督のたつきがSNS上で、降板させられたことを公表して物議を醸した。

※**28 妖怪ウォッチ**（原作・レベルファイブ）　二〇一三年に発売されたゲームを第一作とするメディアミックス作品。ゲーム発売の一年後に放送開始したアニメ版がブームの火付け役となった。過去の映画やテレビ番組のパロディがふんだんに取り入れられているのが特徴。

※**29 アンパンマン**（原作・やなせたかし）　テレビアニメ版『それいけ！アンパンマン』は毎週のように新キャラが登場するのが特徴で、ギネスブックに「最もキャラクターの多いアニメ」として認定された。なお、同作の前身となるやなせたかしの短編メルヘン集に登場するアンパンマンは普通の人間だった。

※**30 コックリさん**　西洋のテーブル・ターニングに起源を持つと言われる降霊術。漢字表記は

「狐狗狸さん」。一九七〇年代初期に若者のあいだでコックリさんを呼び出すのがブームとなった。コックリさんのもたらす予言は人間の潜在意識が生み出すと言われているが、実際に精神崩壊した人物も存在するので、要注意。

※**31** **お菊人形**　北海道岩見沢市の萬年寺に安置されている人形。三歳で病死した少女の霊が宿り、髪が伸び続けていると言われている。

※**32**　一九六六年に公開された『フランケンシュタインの怪獣　サンダ対ガイラ』（監督・本多猪四郎、特撮・円谷英二）からとくに影響を受けたという（作中ではガイラが人間を捕食する場面が存在する）。

※**33**　登場キャラのミカサの名前は旧日本海軍の戦艦「三笠」から取った。ピクシス司令のモデルは「日本騎兵の父」と呼ばれる明治時代の陸軍大将・秋山好古。

※**34** **亜人**（原作・桜井画門）　人間から虐待を受ける不死の新人類「亜人」である主人公・永井圭は人類の虐待から逃れようとするが、亜人たちは人類に対して戦闘を開始。圭はその戦いに巻き込まれていく。二〇一二年～二一年まで『good!アフタヌーン』（講談社）で連載され、一五年にはテレビアニメ版が、一七年には実写映画版が公開された。

※**35** **ペルソナシリーズ**　一九九六年に発売された『女神異聞録ペルソナ』を第一作とするテレビゲームシリーズ。高校生たちが「ペルソナ」と呼ばれる魔法や異能力を駆使して戦う。

※36 聊斎志異　清(しん)の作家・蒲松齢(ほしょうれい)の短編集。妖怪や仙人に関する逸話が数多く収録されている。

※37 マッチ売りの少女　十九世紀デンマークの童話作家アンデルセンの作品。貧しい境遇の少女は、アンデルセンの母親がモデルとも、貧富の差が激しい当時のデンマーク社会への批判とも言われている。

第6章

日本にもあった！　表現規制

日本の表現の自由はどこへ?

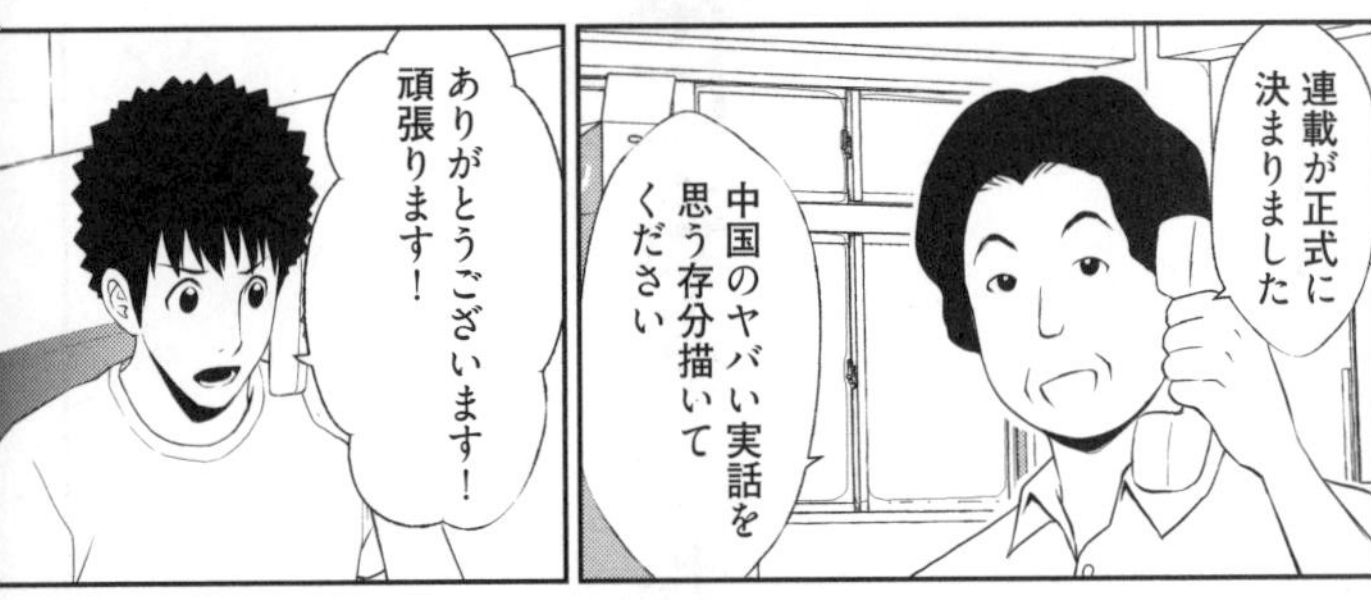

連載が正式に決まりました
中国のヤバい実話を思う存分描いてください
ありがとうございます! 頑張ります!

やっと日本の漫画雑誌で念願の連載が始まりました
女の子は可愛く描かなきゃ
またひとつの夢が叶った!
……しかし

やっとネームができました
送信――――!
ネーム作業は疲れたな……寝よう
自由に漫画を描ける日本は最高ですね
翌日
このページをまるごと変更してください
食品問題はこの店の問題だけで完結させます
中国政府の責任までに伸ばすと政治漫画になるから
日本人は政治に関心がないため政治カテゴリーの書籍が一番売れないから
孫さんが伝えたいことは分かるけど、この漫画をもっと多くの読者に読ませるように
政治色を避けましょう
中国のヤバい事情を描く際に、中国政府及び中国共産党を批判する表現はすべて規制されました
はーい

結局……
それ以降の物語は
「中国共産党は悪い」
ではなく
「中国の民度が低い」
というテーマに
なってしまいました
しかし……
「中国の民度が低い」原因は
中国共産党政権による
文化大革命の悪影響である
など 掘り下げて議論する
ことができませんでした
そして
半年後
お疲れ様です
……えっ!?
子供が被害者という
設定はダメですか?
どうして?
数カ月前に中国の
児童誘拐事件のネタも
掲載されましたが……
最近、都内に
子供が誘拐、
殺害された事件が
あり、遺族の
気持ちを配慮しない
といけませんね
ええ……
そうだな
被害者を大人に
変更したら、今の
流れはオッケーです
いわゆる
「過剰反応社会」
クレーマー対応で
一時的に自主規制を
かける
しかし
いつ解禁するか
決まりがありません
日本社会の雰囲気
次第です
キャラクターを
大人に変更すると
ちょっと不自然
だけどな……

今度は中国人のマナー問題の話
「バス内で大便をする男は精神病ですか？」というセリフを削除しなさい
えっ⁉別に精神障害者は必ずどこでも用を足すという意味じゃないけど
だから！バスで大便＝精神障害者の「推測の表現」は障害者差別です！
次は「なりすまし日本製」の話
従業員は中国人だから品質が悪いというナレーションはNGでしょ
「素材を中国から輸入したから」に変更しなさい
いや……事実は中国の素材問題じゃなくて中国人の手抜き問題ですよ
そう決めつける表現は人種差別でしょ！学習しないな 孫さん！
いわゆる「ヘイトスピーチ規制法」が可決以来、出版社は神経質に自主規制をかけてます
このように左派層、ポリコレ＊のバカ騒ぎのせいで日本の表現の自由の幅はだんだん狭くなってます
多文化共生
ヘイトスピーチ許さない
レイシスト帰れ
事実を描けない実話系漫画……
いったい僕は読者に何を伝えるのか……
ブル
ブル

さらに奇妙なNGワードが増えました
最近LGBTのネタが炎上してるから
この「男が女装で女子選手になりすましてマラソン代走」シーンを変更してください
12-3
別にこの女装男は性同一性障害（トランスジェンダー）じゃないですよ
単に代走のために女装しただけですよ

もし編集部に抗議が殺到したらまずいですよ
無難な表現でお願いします
妥協しないとゴーサインが出ない……

ポリコレは常に騒動のネタを創り出し
生産性で差別するな
LGBT
女の平和
辞職せよ
杉田やめろ
差別するな
アベ退陣
編集部の自主規制リストはさらに増えていく一方です

休日に漫画喫茶に行きました
昭和の作品コーナー
懐かしいな
これ面白そう

これは有名な漫画家が70年代に掲載した短編です＊
ヒロインは純日本人でしとやかな性格なのに従姉妹はハーフで天然パーマに髪の毛が赤い、じゃじゃ馬という設定でした
ストレートな黒髪で可愛らしいわまるで日本人形みたい
従姉妹の母親→日本人
外国人の父親→
うちにも君みたいな娘がほしいな
これ 編集Tに見せたら「身体の特徴を差別する表現は良くない」と言われそう……
「昔の漫画が面白い 今の漫画はつまらない」という口コミがありますが表現の自由度が大いに影響しているのでしょう

＊『赤毛のいとこ』(萩尾望都／1976年掲載)

「企画却下！」特定国家への〝忖度(そんたく)〟

共産主義政府による表現の弾圧が行われている中国とは違い、民主主義国家の日本では、表面上は表現の自由が認められています。来日前の僕には、日本のクリエイターたちは思うがまま作品を生み出しているというイメージがあったのですが、日本に住んで以降、この国にも表現の規制があることを知りました。

二〇一三年八月、当時中国に住んでいた僕は、**『中国のヤバい正体』**（※1）を日本で刊行したことをきっかけとして、日本の漫画界デビューに成功しました。当時はまだ中国国内の問題が日本のメディアで報じられる機会が少なかったこともあって、中国の実情を赤(せき)裸々(らら)に描いた『中国のヤバい正体』はインターネットを中心に大きな話題となったのです。

その後も僕は漫画、コラム、動画サイトなど複数のメディアで中国の問題を発信し続けているのですが、ある時、某大手漫画出版社の編集者から「うちの雑誌で連載しませんか？」というオファーをいただきました。僕は喜んで、漫画のキャラクターデザインと、三話分のプロットと第一話のネームまで描き進めたのです。僕のプロットを見て編集者は大爆笑し、面白いと言ってくれたので安心していたところ、突如、「企画は中止、連載もなかったことにする」という連絡を受けました。

出版社はその理由を明らかにしなかったのですが、担当の方から、「中国批判の内容はちょっと……」と編集長に却下されたと打ち明けられました。内容は、あくまでもフィクションだったのですが、「面白ければ何が何でも連載させる！」という日本の漫画業界のルールにも例外があることを、僕はそのとき知りました。後日、日本のメディア、とくにテレビ局や大手出版社は中国・韓国（かつては北朝鮮も）といった特定の国家に配慮する傾向があり、それらの国を批判するような内容の作品は、ほとんど陽の目を見ないと知人から聞いたのです。

彼の話によると、インターネット文化が普及しはじめた一九九〇年代末期まで、日本の出版社やテレビ局、映画会社の多くが、中国や韓国に配慮する一方、日本の政治や文化を過小評価する自虐(じぎゃく)的な作品を発表し続けてきたそうです。本書の編集担当者から預かった資料を確認したところ、**『こちら葛飾区亀有(かめあり)公園前派出所』**（※2）や**『ザ・シェフ』**（※3）など、一見政治とは無関係に思える漫画でも、作中キャラが唐突に日本社会を批判する話が出てくることを知りました。編集担当者は、前章でも紹介した『永遠の0』のような作品は二〇〇〇年代以前では、企画すら通らなかったかもしれないと言っていました。

実写版『空母いぶき』に唖然・呆然

その編集者は、現在の日本のエンターテインメント界では保守・愛国的な思想が認められつつあると言っていましたが、僕は、依然として親中・親韓思想が蔓延していると思います。

二〇一四年〜一九年まで『ビッグコミック』（小学館）に連載された**『空母いぶき』**（※4）は、二〇一〇年に発生した尖閣諸島中国船領海侵犯事件に着想を得て描かれた漫画で、尖閣諸島の小島に中国の工作員が上陸したことをきっかけに日中間で衝突が起こり、自衛隊の空母・いぶきが領土奪還作戦に向かうという内容です。

ここ数年、日本領海に中国国籍の船がひんぱんに不法侵入しており、『空母いぶき』で描かれている内容は、いつ現実のものとなってもおかしくありません。同作を原作とした実写映画が公開されると聞いて、僕は、中国の危険性を警告する内容の作品だと思って大いに期待していました（二〇一九年五月二十四日に劇場公開）。しかし、映画の内容は漫画とはまったく異なるものでした。

まず、映画内で日本と敵対するのは中国ではなく、「東亜連邦」という架空の国家が「ハ

かわぐちかいじ『空母いぶき(1)』小学館　ビッグコミックス

ルマ群島」に位置する「初島」という架空の島に侵攻するという設定です。『空母いぶき』は現実の国際情勢をモデルにした一級の戦略シミュレーション漫画ですが、映画版は基本設定の時点で原作の魅力を台無しにしています。他にも、軍用艦のいぶきに民間人の記者が二人同乗したり、戦闘中にもかかわらずいぶきの副官が敵側の犠牲者の心配をしたり、理解しがたいシーンが続々と出てきます。

最悪なのはクライマックスです。いぶきに同乗した女性記者がインターネットに投稿した動画を見て国連が動き出し、潜水艦を出撃させて戦闘を中止させる。しかも、その潜水艦には中国の国旗がかかげられています。原作では敵のはずの中国が、映画では「正義の使者」として描かれているのです。改変の真意は不明ですが、おそらく、中国からの批判を回避するのが目的でしょう。

映画版『空母いぶき』は、佐藤浩市演じる垂水慶一郎首相が「願えば平和な世界は実現する」という時代錯誤のお気楽なメッセージを唱えて終わります。僕は、この映画の製作スタッフ陣は「戦争は絶対悪」「中国は正義」「他国に侵略される責任は日本にある」といった、典型的な日本の左派・リベラル派と同じ思想の持ち主だと思います。

中国だけでなく、韓国にも「忖度」がなされています。これも編集者から聞いた話なのですが、一九八〇年代は、**雁屋哲**（※5）や**石坂啓**（※6）など左派系の思想を持つ作家が、韓国（朝鮮半島）を日本に侵略された善良な被害者として描いた作品を多数発表していたそうです。

現在でも、日本のテレビ局は韓流スターやK‐POPのアーティストを積極的に紹介し、ファッション雑誌は韓国人風の服装やメイクを大々的に特集しています。近年、徴用工問題、従軍慰安婦問題、文喜相国会議長による天皇陛下（現上皇陛下）に対する謝罪要求発言など、韓国の度重なる反日行為により、日本の人々の間に反韓意識が高まっているにもかかわらず、メディアはしきりに韓国文化をアピールし続けています。最近は世論とメディアの意見が乖離しているという意見がありますが、「韓流」はその最たるものでしょう。

メディア側が真実を隠そうとしても、中国・韓国が日本に対して数々の挑発的行為を繰り返し、日本領土の一部地域を実効支配し、あるいは意図しているのは明白な事実です。今後は、日本でも中韓の真実を暴露する作品が大々的に公開されて、日本が危険な状態にあることを多くの人々に知ってほしいと思います。映画のように「願う」だけでは平和な社会は実現しません。

なぜ『はだしのゲン』だけが許されるのか

日本では、特定の国家だけではなく、言葉に対しても厳しい表現規制が行われています。そして、その規制が作品のテーマ性や魅力を半減させていることが少なくありません。

数年前、僕は当時連載を担当していたウェブサイトのコラムに「中国には偽物の浮浪者が存在し、大金を稼いでいる」という内容の記事を寄稿しました。僕は浮浪者を指す表現として「乞食」という言葉を使ったのですが、校正の段階で「ホームレス」に書き直されていました。疑問に思った僕が校正担当者に問い合わせたところ、乞食という言葉は現在の日本では使用禁止用語に指定されていると言われました。中国では、乞食という言葉は「通行人に金品を要求する者」という意味で使われます。日本や欧米の浮浪者とは違い、中国の浮浪者は積極的に物乞いをするため、ホームレス（路上生活者）という言葉を使うのは適切ではありません。言葉の規制により、僕は中国の実態を完璧に伝えることができなかったのです。

その後、僕は農家を表す「百姓」、塗装業を表す「ペンキ屋」、土木作業員を表す「土方」など、日本では、過去には日常的に使われていた職業や地位を表す言葉の多くが、使用を禁じられていることを知りました。以前は「看護婦」「保母」と呼ばれていた女性比率の高い職業は、男女平等の観点から「看護師」「保育士」という現在の呼称に変更されたそうです。職業だけではなく、「障害者」の「害」、子供の「供」という漢字が差別的だとして、それぞれ「障がい者」「子ども」という表記が使われる機会も増えています（※7）。数年前、僕は身体に障害を持つ数名の方々に「障害者の漢字表記についてどのように思うか？」と質問する機会があったのですが、全員が「まったく気にならない」と答えました。このように、差別撤廃のために実施されたことが何の効果ももたらさないということは多々あるようです。むしろ、（自称）リベラル派による伝統的な呼称の破壊や、障害者に対する過剰な保護意識への反発から差別感情が高まるという事態が起きています。差別撤廃を唱える人々こそ、差別を助長しているのです。過去の作品に、現在では差別用語とみなされている言葉が使われている場合にも修正が入り、その結果、作品のテーマ性が失われる場合もあります。

例えば『カムイ伝』（※8）は、江戸時代に「非人（ひにん）」と呼ばれた被差別階級の世界を舞台にした物語で、『月刊漫画ガロ』（青林堂）に連載されていた当時（一九六四〜七一年）は、非差別者や障害者を表す言葉が作中で多く使用されていました。そのため、現在発売されている単行本では多くの修正が施されているようです。例えば、連載版で使われていた盲人を表す「めくら」という言葉は、現行版では削除されており、「それに相手はめくらじゃないか」というセリフは「それに相手は目が不自由ではないか」に修正されています。しかし、「めくら」という言葉は、過去の日本では日常的に使われていた言葉であり、修正前のセリフのほうが、江戸時代を舞台にした作品としてのリアリティを感じさせます。僕は「この作品は、連載当時の時代背景を尊重しています」と注釈をつけた上で、連載版そのままの形で単行本を発行するのが適切だと思います。

これは余談になりますが、前章で紹介した『はだしのゲン』の作中では、「きちがい」「パンパン」「朝鮮人」といった、現在では差別用語とみなされている言葉が多く使われています。にもかかわらず、『はだしのゲン』に限ってセリフに修正が施されていない理由は、読者の子供たちに戦後日本に対する嫌悪感を植え付け、反体制的な思想を芽生えさせるための左派系教育団体の陰謀ではないかと、僕は勘ぐっています。

行き過ぎたポリティカル・コレクトネス

言葉のみならず、特定の人種や人物に対する表現規制も行われています。以前の日本では**『ちびくろサンボ』**（※9）や**『冒険ダン吉』**（※10）、あるいは飲料水のポスターなど、黒人のキャラクターが登場する作品が広く親しまれてきたと聞きました。

かつては、未開の土地に住む原住民という設定で、漆黒（しっこく）の体に腰蓑（こしみの）をまとった姿が黒人を描く時の定番でした。それは日本だけではありません。文明から隔絶された部族が原始的な武器で〝文明人〟を襲い、時にはカニバリズム（人肉食）を行うという偏見に満ちた黒人描写が世界中にあふれていました。一九六〇年代から七〇年代にかけて〝野蛮国〟の残虐な習慣をモチーフにした**モンド映画**（※11）といわれるジャンルが世界中で人気を博したことがありますが、その多くが黒人部族を扱っていました。

黒人＝未開の蛮族というイメージは、欧米国家がアフリカ系民族を対象として「奴隷（どれい）貿易」を行っていた時代に生まれたのでしょう。黒人のみならず「特定の人種や民族の特徴を誇張して描く」という行為は、かつては世界中で行われていました。例えば、過去の外国作品に登場する日本人はちょんまげを結って腰に刀を差した武士、中国人は弁髪（べんぱつ）（後頭部の髪を伸ばして編み込んだ髪型）になまず髭という姿で描かれるのが定番でした。また、欧米人のアジア人に対するステロタイプなイメージからか、過去の欧米映画に登場する日本人や中国人は、たいてい小柄で目の細い役者が演じていました。日本の作品でも似たような事例があり、一九八〇年代に日本で大ブームとなった**『キン肉マン』**（※12）は、ナチス・ドイツ時代の将校をモチーフにしたキャラが出演しているため、欧州圏では発売禁止になっていると聞いたことがあります。

黒人を未開の部族として描く作品が発表禁止になっている理由は、差別的なイメージを払拭（ふっしょく）するためでしょうが、過去に『冒険ダン吉』や『ちびくろサンボ』を読んだことのある方の話では、両作品とも黒人を誠実で勇敢かつ聡明なキャラクターとして描かれているとのことです。もちろん、侮辱的な差別表現は避けるべきですが、現在は、差別を排除しようとするあまり、差別とは無関係な描写すら表現規制されていることがあります。例えば、近年の欧米の作品では、分厚い唇といった黒人の身体的特徴の描写は許されず、次々と修正が施されています。数年前、日本人が金髪のかつらとゴム製の鼻をつけて白人に扮したCMが放送されましたが、白人の身体的特徴を強調するのは差別的だという指摘がSNS上に相次ぎました。

人種や民族の身体的特徴の描写を徹底的に否定してしまうと、キャラが没個性化する恐れがあります。以前、海外のインターネット掲示板で「なぜ日本のゲーム会社のほうが魅力的な黒人キャラを作るのか？」というスレッドが立ち上がったことがあります。スレッド内では、ゲーム『**ストリートファイターⅢ**』（※13）に登場するダッドリーという黒人キャラが紹介されていましたが、日本では黒人に対するポリコレ（ポリティカル・コレクトネス。

民族や人種、性別に対する差別を防ぐための配慮）の概念が希薄なため、逆に黒人の身体的特徴を生かしたキャラが作られるのではないかという意見が掲示板に寄せられました。

ポリコレは時に大きな矛盾を生み出します。二〇一九年初頭、日本の食品会社が、テニスプレイヤーの大坂なおみ選手をモチーフにしたアニメをPR用に公開しました。大坂選手の父親はハイチ人ですが、アニメに登場する大坂選手は「実物より肌が白い」と、各方面から抗議の声が寄せられたのです。食品会社側は意図的に肌を白くしたわけではなかったそうですが、抗議を受けた結果、謝罪して動画の配信を中止しました。かといって、大坂選手の肌が褐色で描かれていたら、今度は「黒人を差別している」という抗議が寄せられていたかもしれません。過度な配慮は表現自体を否定する可能性があります。

封印された『ウルトラセブン』第十二話

人種に対する表現以外にも、現在では問題とされる表現が使用されていることから発表禁止になった、いわゆる「封印作品」が日本には多数存在するという話も聞きました。

日本で封印作品が生まれるきっかけとなったのは、特撮ドラマ『**ウルトラセブン**』（※14）第十二話『遊星より愛を込めて』という作品だそうです。この章を手がけるにあたって、封印映像作品の研究をしている某映像コレクターから話を聞いたところ、以下のような事情があったということです。

同作は母星の核実験の失敗により血液が汚染されたスペル星人という宇宙人が、地球人の健全な血液を狙う物語で、放送当時は特に問題にされませんでした。しかし、後年に刊行された児童誌の付録カードに、スペル星人の説明として「ひばくせい人」と書かれていたのを一人の女子中学生が発見したことが、騒ぎの発端となりました。

女子中学生の父親は、日本原水爆被害者団体協議会の委員を務める人物で、娘の報告を受け児童誌の編集部に抗議文を送りました。本来なら不適切な表現だったと謝罪して事態は収拾したはずですが、マスコミが「被爆者を怪物扱いしている」と事実を拡大解釈して報道したため、全国規模で抗議の声が上がり、『ウルトラセブン』の製作会社である円谷（つぶらや）プロダクションが『遊星より愛を込めて』を「欠番」扱いにしたことで、ようやく事態は収まりました。そのため、『ウルトラセブン』の映像ソフトには、同作は収録されていません。

日本の作品では核の放射線がモチーフになることは珍しくなく、『遊星より愛を込めて』の作中では、被爆者を差別するような表現は一切使用されていないとのことです。『ウルトラセブン』は前衛的な演出が多い（※15）ことから評価が高く、封印されていることが惜しまれると映像コレクターは語っていました。中国では、毛沢東の文化大革命時代に数々の書物や美術品が「非生産的」「宗教的」という理由で破壊・消滅の運命をたどりました。平和や平等思想に基づいた抗議活動は、優れた作品に対する破壊行為となり得るのです。

日本にLGBT差別は少ない

近年、性的マイノリティの人々を対象とした「ＬＧＢＴ」と呼ばれる人権活動が世界中に広がっています。左派・リベラル層の一部は、日本ではＬＧＢＴに対する差別が蔓延していると主張していますが、僕は疑問を感じます。

各国で合法化されている同性婚が、日本では認められていないのがＬＧＢＴ差別の証拠だと、左派・リベラルは主張しますが、事実的な婚姻状態にあるＬＧＢＴのカップルは、日本には数多く存在します。同性婚推進派の狙いは、戸籍上で結婚が認められるようになれば配偶者控除や遺産の相続権利など、さまざまな社会的保障が得られることにあると思います。

日本のメディアには、「おネエ系」と呼ばれるＬＧＢＴタレントが毎日のように出演して人気を博しています。僕が来日したばかりのころ、おネエ系タレントのマツコ・デラックス氏が「本当に効くわ」と言う生理痛薬のＣＭを観て、思わず大笑いした経験があります。

心と体の性の違いを笑いにするのは、ＬＧＢＴタレントの定番ネタですが、規制が厳しくなると、このような表現も全面的に禁止される可能性があり、結果的にＬＧＢＴタレントの需要が減るかもしれません。

都市の歓楽街には「ゲイバー」や「おなべバー」と呼ばれるＬＧＢＴの人々が働く飲食店が存在し、通常の性嗜好を持つ人々も来店することは珍しくありません。作品の世界でも、『**パタリロ！**』（※16）や『**翔んで埼玉**』（※17）など、第3章でも触れた一連のＢＬ作品や、『**やがて君になる**』（※18）や『**ゆるゆり**』（※19）に代表される、いわゆる「**百合もの**」（※20）など、同性愛をモチーフにしたものが数多く制作されて人気を博しています。これらの作品に登場する同性愛者たちは、たいてい美しい容姿で描かれており、日本には同性愛に対して耽美なイメージが根付いていることがわかります。もし本当に、日本にＬＧＢＴ差別が存在していたら、同性愛を扱った作品は発表されないでしょう。

これは、前述の歴史に詳しい知人から聞いた話ですが、そもそも、昔の日本には「衆道」と呼ばれる男性同士の恋愛の習慣があり、武将たちは、こぞって小姓（側仕えの少年）と性行為を交わしました。その様子は、前述の『花の慶次』や、『**シグルイ**』（※21）など、過去の時代を扱った漫画で詳細に描写されています。江戸時代の戯曲には同性愛を扱ったものが多数あるなど、日本では同性愛は文化として認められていたようです。一方、欧米圏では、聖書に同性愛を否定する記述があるため、昔は同性愛者に対する差別意識が強かったのです。同性愛が法的に禁止され、発覚すると逮捕される例も多々あったそうです。近年、欧米圏でLGBTの人権活動が活発化しているのは、過去の迫害に対する反動ではないでしょうか。

もともと性的マイノリティに対する差別意識が存在しない日本で、LGBTの人権活動が行われている理由は、人道的な問題を隠れ蓑にした政権批判だと、僕は推測します。

「平等」という名の左翼活動

二〇一八年八月、自民党の杉田水脈衆議院議員が、雑誌に寄稿した「彼ら彼女らは子どもを作らない、つまり生産性がないのです」というLGBTに対する発言が物議を醸しました。杉田議員の発言を受け、LGBT団体や野党議員、人権派の弁護士らが次々と批判を浴びせ、マスコミは一斉に杉田議員は差別主義者という論調で報道しました。寄稿文を掲載した雑誌が廃刊に追い込まれるほどの事態になった杉田議員の発言ですが、実際に寄稿文を読んでみると、批判報道は一様に偏向したものであることがわかります。

まず、寄稿文のタイトルは「『LGBT支援』の度が過ぎる」というものです。杉田議員は、ＬＧＢＴを差別しているのではなく、多額の税金が使用されるなど、ＬＧＢＴに対して過度な保護政策が行われていることを危惧していたのです。問題となった「生産性がない」という発言も、前の文には「ＬＧＢＴのカップルのために税金を使うことに賛同が得られるものでしょうか」と書かれており、「同性愛者を特別優遇する必要はない」という意味合いの文章でした。

誤解を招くような表現だったとはいえ、同性愛カップルが子供を作れないのは事実です。現在の日本は少子高齢化が大きな問題となっており、仮に同性婚が法的に承認されて異性婚が減少すれば、少子化がますます加速するかもしれません。杉田議員の発言は、日本の将来を考える上で傾聴に値するものだと思うのですが、マスコミは意図的に意味合いを歪めて批判の材料にしたのです。

二〇一九年四月十六日、統一地方選の候補を応援するために杉田議員が演説を行ったところ、反対派が集合して杉田議員を批判するプラカードを掲げながら、抗議活動を行いました。現場を目撃した人物の証言によると、つかみかからんばかりの勢いで杉田議員に詰め寄るほどエスカレートしていたそうです。反対派が結集したのは、反差別を訴える団体が「#会いに行ける杉田水脈」というハッシュタグをＳＮＳ上に書き込んで、抗議活動の参加を呼びかけたからです。普段は差別撤廃、多数派による横暴を批判する左派・リベラル層は、気に入らない意見を唱える人物を数の力で弾圧しようとします。

左派・リベラル層が執拗に杉田議員を批判する理由は、彼女の政治活動にあると僕は思います。杉田議員は、韓国の市民団体が世界中で喧伝する従軍慰安婦問題の嘘を国連に訴えて精力的に活動している人物です。さらに、憲法改正論を推進し閣僚の靖國神社参拝に賛成するなど、日本の政治家の中では保守的な主張を唱えています。親韓・親中派が大半の日本の左派・リベラル層とは真逆の思想の持ち主と言えます。そのせいで攻撃の標的にされたのでしょう。

僕はテレビ番組の企画などで杉田議員に何回かお会いしたことがあるのですが、実際の彼女は決して差別主義者などではなく「男女の役割を明確化すべし」というポリシーを持ち、男性による性犯罪など卑劣な行為を激しく憎む女性であることを明記しておきます。また、昔の漫画やアニメに対する造詣も深く、**『六神合体ゴッドマーズ』**（※22）や**『ラ・セーヌの星』**（※23）の画像を、たびたび自身のSNSのアカウントに投稿するなど、ユニークな一面もあります。

日本で定期的に開催されるLGBTパレードを見学した人の話を聞くと、差別撤廃を訴えるプラカードに混じって、「安倍はやめろ」や「くたばれ天皇制」というメッセージが書かれたプラカードが掲げられているそうです。平和・平等を訴える少数派の活動は、常に反日勢力に利用されるのです。

表現規制は「反日行為」

時代の流れとともに、表現に対する認識は変化します。そのため、以前なら問題なしとされた作品が発表できなくなったり、過去の作品の表現を修正されたりするのは、当然起こり得ることです。しかし、過度な表現規制は作品の魅力を奪い、品質低下をもたらす場合があります。

僕の小学生時代、中国では『孔雀王（くじゃくおう）』（※24）という日本の漫画の海賊版が流通していたのですが、同作は女性の裸体やグロテスクな場面が頻出するため、有害図書扱いされていました。中国ではポルノ的な内容を含む作品を公（おおやけ）に発表することが禁止されているので、『孔雀王』のような内容の作品は制作不可能です。その結果、当たり障りのない魅力に乏しい作品が濫発（らんぱつ）される事態となっています。

日本でも、非営利団体や人権派弁護士たちが、差別撤廃の名の下に、多くの表現規制を主張しています。彼らは、事件を「捏造（ねつぞう）」して「自称被害者」を誕生させ、裁判所に訴えることにより、結果的に大きな利益を得ます。僕は、彼らの活動は、自分たちの利益のために日本作品の魅力を奪って、世界における日本の存在感を低下させるための「反日行為」としか思えないのです。

（注釈）

※1　中国のヤバい正体（著・孫向文）　当時中国に在住していた著者による渾身のレポート漫画。「猛毒まみれの食品」「経済成長の実態」など、ありのままの中国の真実を描いた内容は、各方面で話題を呼んだ。大洋図書刊。

※2　こちら葛飾区亀有公園前派出所（原作・秋本治）　一九七六年〜二〇一六年まで『週刊少年ジャンプ』に四十年間にわたって掲載された超ロングラン作品。ＳＦ、ミリタリー、社会問題など、バリエーション豊富な内容が特徴。なお、作者の秋本治は、同作終了後も精力的に新作を発表し続けている。

※3　ザ・シェフ（原作・剣名舞　作画・加藤唯史）　流れ者のシェフ・味沢匠を主人公にしたグルメ漫画。一九八五年から『週刊漫画ゴラク』（日本文芸社）に連載された。料理の技法や素材ではなく、料理をめぐる人間ドラマが中心に描かれている。味沢のキャラ設定が某医療漫画の主人公に酷似しているというのは、漫画ファン共通の認識。

※4　空母いぶき（原作・かわぐちかいじ）　作者が得意とする軍事シミュレーション作品だが、タ

イムスリップなど荒唐無稽（こうとうむけい）な描写が取り入れられていた過去作『ジパング』とは違い、現実的かつ警告的な内容。

※5　雁屋哲　一九四一年生まれ。大手広告代理店を退職した後、漫画原作活動をはじめる。代表作『美味しんぼ』には、旧日本軍による強制連行が行われたと語る韓国の老人が登場し、「日本は韓国に対して公式に謝罪していない」という見解が記されている。

※6　石坂啓　一九五六年生まれ。手塚治虫のアシスタントを経験後に漫画家としてデビュー。一九八〇年代に発表した『安穏族（あんのんぞく）』という作品では、従軍慰安婦や日本で差別される朝鮮半島出身の少年をテーマにした物語が描かれた。

※7「障害者」は、本来は「障碍者」と書いた。「碍」とは行く手を妨げるという意味で、絶縁体「碍子（がいし）」にも、「電気の流れを妨げる」という意味でこの字が使われている。ただ、「碍」という字が戦後の〝国語改革〟で当用漢字から外されたため、同じ音（おん）の「害」をあてた。〝国語改革〟とそれに盲従した新聞マスコミがそもそもの元凶とも言える。

※8　カムイ伝（原作・白土三平）　さまざまな階級の人々の視点から描かれたストーリー展開、科学的・合理的な説明が施された忍法など、後の歴史漫画に多大な影響を与えた作品。『月刊漫画ガロ』の連載終了後、『ビッグコミック』で一九八八年〜二〇〇〇年まで『カムイ伝第二部』が発表されたが、初掲載から五十年以上が経った現在でも「未完」の状態だ。

※9 **ちびくろサンボ**　スコットランド人作家ヘレン・バンナーマンが描いた絵本。一八八九年にイギリスで刊行された原作の舞台はインドだった。その後、アメリカで数々の異本が発売され、その多くが舞台をアフリカに変えていた。日本で初めて刊行された絵本もアフリカを舞台にしたアメリカ版をもとにしたものだった。

※10 **冒険ダン吉**（原作・島田啓三）　漫画ではなく挿絵に物語がついた「絵物語」と呼ばれる形式の作品。一九三三年〜三九年まで『少年倶楽部』（大日本雄辯會講談社）に連載された。南の島に流れ着いた少年ダン吉が島の王様となって未開の地を開拓していく。当時の子供たちに絶大な人気を博した。

※11 **モンド映画**　未開の部族の風習や世界の奇祭を紹介したドキュメンタリー風映画の総称（フィクションが存分に盛り込まれるのが定番だった）。代表作は一九六二年に公開された『世界残酷物語』（グァルティエロ・ヤコペッティ監督）。

※12 **キン肉マン**（原作・ゆでたまご）　一九七九年に『週刊少年ジャンプ』で連載開始当初は変身ヒーローをパロディ化したギャグ作品だったが、バトル要素を加えたことにより人気作になったという経緯を持つ。二〇二一年八月現在、新シリーズが『週プレNEWS』（集英社）で連載中。

※13 **ストリートファイターⅢ**　一九九七年に発表された対戦格闘ゲーム。大人気作『ストリートファイターⅡ』の続編ながら、大幅なキャラの入れ替え、難解な操作システムなど、さまざまな

新機軸が盛り込まれた意欲作だった。

※**14 ウルトラセブン**　「ウルトラマンシリーズ」第二作。敵勢力を「地球を侵略する宇宙人」に統一したため、前作『ウルトラマン』よりもハードな作風が特徴。ウルトラセブンのみ「マン」呼称がないのは、作品制作時はウルトラマンをシリーズ化する予定がなかったからである。

※**15**『遊星より愛を込めて』を演出した実相寺昭雄（じっそうじあきお）には、科学特捜隊員が怪獣を供養（くよう）する『怪獣墓場』、安アパートに住む宇宙人とモロボシ・ダン（ウルトラセブン）がちゃぶ台をはさんで対峙（たいじ）する『狙われた街』など、ウルトラマンシリーズでは異色作が多く、カルト的な人気を博している。

※**16 パタリロ！**（原作・魔夜峰央（まやみねお））　マリネラ王国の国王・パタリロを主人公としたスラップスティックギャグ漫画。一九七八年、少女漫画雑誌『花とゆめ』（白泉社）で連載開始。主要キャラのMI6（エムアイシックス）（英国情報機関）諜報員バンコランと元暗殺者の少年マライヒは男性同士で恋愛しているという設定（作中でマライヒは妊娠・出産した）。

※**17 翔んで埼玉**（原作・魔夜峰央）　埼玉県を徹底的にバカにした漫画。『花とゆめ』別冊に一九八二年から翌年まで三回に分けて連載された。二〇一五年に発売された復刻版をきっかけに話題となった。生徒会長の白鵬堂百美（はくほうどうももみ）（男性）が、転入生の麻実麗（あさみれい）（男性）に恋をする。二〇一九年二月に実写映画版が公開された。

※**18 やがて君になる**（原作・仲谷鳰（なかたににお））　三人の女子高生の恋愛を描いた漫画。登場人物の心理描

写が丹念に描かれており、ドラマ性の高さも評価されている。『月刊コミック電撃大王』（KADOKAWA）に連載。

※19 ゆるゆり（原作・なもり） 四人の女子中学生の学校生活を描く。ささいな行動が同性愛を連想させてしまうという「女子校あるある」が描かれた漫画。『コミック百合姫』（一迅社）に連載。

※20 百合もの 女性同士の恋愛を描いた作品の総称。BL作品と同じく同人誌の題材にされる機会が多く、即売会では漫画やアニメの人気キャラクターをモチーフにした百合ものが多数発売される。

※21 シグルイ（原作・南條範夫 作画・山口貴由） 時代小説『駿河城御前試合』を原作とする漫画だが、オリジナル要素が多い。過剰なまでの残酷描写と登場人物たちの狂気に近い情念が異様な迫力を醸し出す。『チャンピオンRED』に二〇〇三年～一〇年まで連載された。

※22 六神合体ゴッドマーズ 横山光輝の漫画『マーズ』をベースにしたロボットアニメ。日本テレビ系列で一九八一年～八二年まで放送された。美形キャラが多く、今でいう腐女子層からの支持が高い作品だった。横山光輝原作の作品としては珍しく、ロボットが内部操縦（収納）型。

※23 ラ・セーヌの星 一九七五年にフジテレビ系列で放送されたテレビアニメ。フランス革命期のパリを舞台にしているのは、『ベルサイユのばら』（原作・池田理代子）の代替企画だったため。主人公が少女剣士という設定は手塚治虫の『リボンの騎士』の影響。

※24 孔雀王（原作・荻野真（おぎのまこと））　密教をモチーフにしたバトル漫画。『週刊ヤングジャンプ』で一九八五年から八九年まで連載され、荒俣宏（あらまたひろし）の小説『帝都物語』などと共に、一九八〇年代のサイキック（超能力）ブームの中心となった作品。一九八八年には、実写映画版が公開され、主人公たちが使う「臨・兵・闘・者・皆・陣・烈・在・前」という「九字護身法」のフレーズは話題となった。

第7章

あまりに政治的なクリエイターたち

左派に利用された大御所・黒澤と手塚

数年前、僕は黒澤明監督作品の『夢』（※1）という映画を、レンタルDVDで視聴したことがあります。『夢』は、黒澤明自身が見た夢を映像化した作品で、「日照り雨」「雪あらし」「水車のある村」など、八話のオムニバス形式で構成されているのですが、そのうちの一編「赤富士」（第六話）は、各地の原子力発電所が連鎖爆発して日本が壊滅するという話で、物語の終盤では、登場人物の一人が「原発そのものに危険はない、絶対ミスを犯さないから問題はない、とぬかしたヤツラは、許せない！」と絶叫するなど、後の東日本大震災時の福島第一原発事故を予知したかのような内容でした。

雛人形のような姿をした桃の精霊たちが舞ったり（第二話「桃畑」）、トンネルからいきなり旧日本軍人の幽霊が現れる（第四話「トンネル」）など、『夢』は不可思議な場面が頻出する映画ですが、「赤富士」は、妙に社会的メッセージ性の強い内容になっています。日本の原発反対運動は、福島第一原発事故以前から市民団体や左派・リベラル的な思想を持つ人々が行っており、現在でも政権批判に利用されています。そのため、僕はインターネットのサイトで『夢』の紹介を見た時は、黒澤明は反日・反体制的な思想を持つ人物だと思ったのですが、その後、『夢』を視聴するうちに、その考えが間違いであることに気がつきました。

そもそも僕が『夢』という作品に興味を持ったのは、第一話「日照り雨」に登場する〝狐の嫁入り〟の場面に興味を抱いたのがきっかけです。この話は、狐の嫁入りの行列を偶然見てしまい、母親に怒られるという黒澤の幼少期の夢をモチーフに作られています。また、「桃畑」はひな祭りをテーマにした話です。二つとも日本の伝統的な教えである「『約束』と『自然』は守らなければならない」というメッセージが含まれており、日本文化が好きな外国人の僕にとって、大変楽しめるものでした。

その後、黒澤明の代表作の一つである**『七人の侍』（※2）**を観たのですが、この作品は、野武士の襲撃に怯える山村を、百姓たちに雇われた侍たちが守るという内容で、侍たちの義侠心、知略と勇気を描いた一大活劇です。公開当時は「武力を用いるという発想が軍国的」「再軍備・再武装論を助長する」「侍を雇う場面が徴兵制を連想させる」という批判があったそうですが、『七人の侍』が公開されたのは、太平洋戦争終結からわずか九年後の一九五四年であり、同作に対する酷評は、当時の日本に色濃く残っていた敗戦アレルギーによるものでしょう。

黒澤作品は、手練れの武士の決闘や壮大な合戦シーン、山河の風景など、日本の魅力を前面に押し出した内容のものが大半です。これだけ日本を美しく描ける人物が、反日・反神道、反体制的な思想を持っていたはずはありません。それなのに、なぜ『夢』のような作品を撮ったのか疑問に思って、映画に詳しい知人にたずねたところ、それは黒澤個人の思想というより、戦後日本におけるエンターテインメント業界の風潮が要因だと言われました。

黒澤明と同じく、戦後日本最大のクリエイターの一人である手塚治虫も、『**陽だまりの樹**』（※**3**）など、日本の美しさや素晴らしさを描いた作品を手がける一方、後述するように日本の歴史を否定するような作品を描いています。思想とは関係なく、時流に乗って作られたであろう彼らの作品は、現在の左派・リベラル層に都合よく利用されている感があります。

皇室を否定的に描いた『火の鳥』

前述の知人いわく、太平洋戦争終結後、連合軍に敗北したというコンプレックスから、「日本文化は外国より劣(おと)っている」という考え方が生まれたそうです。終戦直後の日本では「ご飯よりパンを食べた方が、頭がよくなる」という説が本気で信じられている時期があったと聞きます。さらに、GHQが教育現場で植え付けた自虐的な歴史観により、日本では自国の文化を素直に賞賛することは、タブーに近い行為とみなされるようになったのです。くわえて、一九五〇年代から七〇年代にかけて、資本主義体制や階級制度を否定することがインテリの証であるかのような風潮が世界中に広まった影響で、日本では自国を卑下するのが〃良心的な態度〃であるという考え方が生まれました。日本の学界に属する人物の多くが、共産主義国である中国・北朝鮮シンパなのは、上記のようなことが要因でしょう。

　このような背景があるためか、かつての日本を代表するクリエイターの多くが、反日・反体制的なメッセージを作中で唱えていたと聞きました。

手塚治虫『火の鳥 1・黎明編』朝日新聞出版

　例えば、第3章でも紹介した『火の鳥』の第一部である「黎明編」は、日本神話と神武天皇による東征（神武天皇即位）をモデルに描かれた物語ですが、作中では神武天皇の実在説は否定され、日本の建国者は大陸から来た騎馬民族という設定になっています。他にも「**欠史八代**」（※4）と呼ばれる第二代から第九代天皇を「架空の天皇」、ヤマト朝廷の成立を「侵略と戦いと虐殺の歴史」と記すなど、『火の鳥』の作中では、天皇や日本の歴史が否定的に描かれているようです。『火の鳥』は学校の図書館に置かれる機会が多い作品だそうですが、その理由は、『はだしのゲン』と同じく、子供たちに反日・反愛国的な思想を植え付けるための、左派系教育団体の深慮遠謀ではないでしょうか。

　手塚治虫だけではなく、ノーベル文学賞を受賞した小説家・大江健三郎が、太平洋戦争時の沖縄県民の集団自決を旧日本軍による強制とみなす**『沖縄ノート』**（※5）というルポ作品を執筆していたこと、**『北の国から』**（※6）などで知られる脚本家・倉本聰が、政府による少数派への弾圧・虐殺を描いたSF映画**『ブルークリスマス』**（※7）の脚本を手がけたこと、アニメ界の巨匠・宮崎駿の代表作**『風の谷のナウシカ』**（※8）や**『天空の城ラピュタ』**（※9）には、科学文明を否定するメッセージが込められていたことを、僕は自ら調べて知りました。もちろん、上記のクリエイターたちの作品の内容は素晴らしいものばかりであることは承知していますが、裏に隠された政治的メッセージに注意を払う必要があると、僕は思います。

いまも量産される日本人による反日作品

僕は、アート鑑賞を趣味としており、休日はいろいろな美術館の展覧会を訪れることが多いのですが、残念なことに、日本人クリエイターの作品を見るたびに、反日・反体制的なメッセージが含まれている印象を受けます。

以前、六本木ヒルズ内にある森美術館で、映像作家の**高田冬彦**（※10）、イラストレーターの**会田誠**（※11）、**奈良美智**（よしとも）（※12）らの作品を鑑賞したところ、いずれのクリエイターの作品にも、露骨な政権批判や日本文化を皮肉ったようなメッセージが記されていました。同じ会場には台湾、香港出身の民主派芸術家による〝反体制〟的な作品が展示されていましたが、彼らのとなえる「反体制」とは、「反中国共産主義」のことです。つまり、日本共産党とほぼ同じ思想を持つ日本のクリエイターたちとは、正反対の思想です。僕は、相反するメッセージをとなえる反体制派クリエイターたちの作品が、同じ会場に展示されていることに皮肉なものを感じました。

朝日新聞社が大々的な絵画展、美術展、アートイベントを数多く主催するのは、その裏に隠された意図があるのではないかと僕は勘ぐっています。

二〇一九年八月に開催された「あいちトリエンナーレ」内の企画展「表現の不自由展・その後」では、韓国の従軍慰安婦像や昭和天皇の御姿を燃やした映像、「間抜けな日本人の墓」と称し、アメリカ国旗を下敷きに「日本は今病の中にある」「靖國神社参拝反対」と書かれた札が貼り付けられたドームなど、芸術と呼ぶのがはばかれる反日をテーマにした作品が多数展示されました。

作品内容の問題や各方面の批判から、「表現の不自由展・その後」の文化庁からの補助金が打ち切りになったことを受け、会田誠ら数名の現代芸術家が会見を開きました。会見の場で会田誠は、「日本は文化的な二流国家に落ちちゃったな、と外国に見られる」と、文化庁の対応を批判しました。しかし、国の機関が自国を侮辱するイベントに対して補助金を支払う道理はなく、反体制的な態度を標榜しながら、外国の視点という「体制」を利用して、補助金の支払いを求める会田誠の姿勢に、僕は大きな矛盾を感じたのです。

以前に比べれば少なくなっているとはいえ、現在もなお反日メッセージを送り出し続けるクリエイターは日本に数多く存在します。それは左派教育の影響を多分に受けた現在の五十代以上のクリエイターに顕著(けんちょ)な傾向です。

対照的な村上春樹とカズオ・イシグロ

二〇一七年に刊行された、村上春樹の小説『**騎士団長殺し**』（※13）には、南京大虐殺についての記述があるのですが、作中では犠牲者を「四十万人」と、共産党政府の公式発表（三十万人）より多く記していました。この作品以前にも、村上春樹は「（日本が侵略行為を行った）中国・韓国に対して『わかりました、もういいでしょうというまで』謝るしかないんじゃないかな」と講演会の場で語るなど、以前から反日メッセージを唱え続けていたという話を聞きました。『文藝春秋』誌上に掲載された村上春樹のインタビューが、中国共産党の機関メディアに紹介されたことがあります。僕はそこに掲載された村上春樹の言葉を次のように日本語に訳してSNS上にアップしました（原文のまま）。

「村上『妻と子供を産まない理由は、再び中国を侵略する民族の子孫を残したくない』つまり日本民族絶滅するためです。『中華料理を食べない理由は懺悔(ざんげ)、日本人として恥だから食べる資格がない』父親は元日本軍」

ご存じのように、村上春樹は世界的に知名度の高い作家で、毎年ノーベル文学賞の候補に挙げられます。村上春樹は、あえて政治的メッセージを込めることで、自らの評価を上げてノーベル文学賞獲得を狙っているように思えます。さらにいうと、海外市場に売り込むためのアピールもあるでしょう。事実、村上春樹の作品は中国や韓国で刊行されてベストセラーとなっています。それは作品内容以前に、作中に書かれたメッセージに共感する中国人・韓国人が多いからではないでしょうか。

二〇一七年、日系イギリス人作家の**カズオ・イシグロ**（※14）がノーベル文学賞を受賞しました。カズオ・イシグロは、受賞時のインタビューの場で、日本の人々が祝福してくれたことに感動したと語り、「私の中の一部は今でも日本人です」と、日本をルーツに持つことを誇りに思っていると発言しました。自作の評価や利益のためか、意図的に日本を貶（おとし）める発言をしているように思われる村上春樹は、いまだにノーベル文学賞を獲得できていません。皮肉なものです。

『万引き家族』の登場人物は日本人とは思えない

一見、政治思想とは無関係に思える作品に、反日的なメッセージが込められていることもあります。二〇一八年に公開された**是枝裕和**（これえだひろかず）（※15）監督作品**『万引き家族』**（※16）は、カンヌ国際映画祭でパルム・ドール（最高賞）を獲得した作品です。日本国内でも興行収入四十億円以上のヒット作となったため、ご覧になった方も多いと思いますが、僕はこの作品を観て不快感を抱きました。

『万引き家族』のあらすじを大まかに紹介すると、冒頭で、主人公の柴田治（リリー・フランキー）が、息子の祥太（城桧吏）に、スーパーマーケットで万引きを行うよう命じます。そして、二人が万引きに成功して帰宅する途中、団地の外廊下で一人震えている少女（佐々木みゆ）を見つけて連れ帰ってしまう。序盤から主人公たちが窃盗、誘拐（?）と犯罪行為を連発することに、まず違和感を覚えました。

その後、家族の様子が描かれるのですが、彼らは血縁関係を持たない擬似家族であり、祖母の初枝（樹木希林）はパチンコ店で他人が出した玉を箱ごと盗み、母親の信代（安藤サクラ）はクリーニング店で他人の衣服のポケットに入っていたアクセサリーを盗み、祥太は連れ帰った少女「りん」に駄菓子屋で万引きをさせます。家族で唯一犯罪に手を染めていないのは娘の亜紀（松岡茉優）だけですが、彼女にしても、風俗店に勤務していて、あまりほめられたものではありません。

彼らは何らかの理由で本来の家族から見捨てられた人々で、「世の中には不幸な人が存在する」「貧しい人は、悪事を行わなければ生きてゆけない」というメッセージが込められているのかもしれませんが、全員が健常者であり、両親（治と信代）とも非正規雇用ながらも職を得ていて、犯罪に手を染めなくても生活できる能力を持っているのです。第一、万引きや窃盗を生活の糧にしようとする発想自体が、一般的な日本人の意識からかけ離れたものに感じます。

それ以外にも、『万引き家族』の登場人物たちは、日本人とは思えない行動を繰り返します。同作には食事の場面が多く登場するのですが、家族は過剰に思えるほど大きな咀嚼音を立てて食事します。初枝は足の爪を切りながら食事をし、足の裏を触った後に茶碗を持つ。炭酸飲料を飲んだ信代は祥太の前で大きなゲップをする。治と信代はそうめんを食べている最中に突然交じり合い、信代の背中にはそうめんがはりついているなど、妙に汚らしい描写が続出します。底辺層の生活を描写したつもりかもしれませんが、「食べ物を粗末にしてはいけない」という教えが根付いている日本人の行動とは思えません。

また、〝感動作〟をうたいながら、作中で起きる悲劇は家族たちの自業自得のようなものばかりです。例えば、りんの万引きがスーパーの店員に見つかりそうになり、祥太が店員の目を自分に向けようと、わざと見つかるように万引きをする場面があります。祥太は逃げている最中に高いところから飛び降りて大怪我を負うのですが、そもそも、祥太が教え込まなければ、りんは万引きなどしなかったでしょう。

物語のラスト、犯罪行為が発覚して家族は崩壊することになります。児童養護施設に収容される祥太の姿を見て、治は「やっぱり血のつながりのない父はダメか……」とつぶやくのですが、実際の社会では、養子縁組をした親子が、遺伝子的な関係はなくても幸せな関係を築いている例はいくらでもあります。しかし、犯罪によって結びついた親子関係が幸せであるはずはありません。

恩を仇で返した是枝監督

『万引き家族』の主なテーマは「恵まれない立場の人間の苦労」「血縁関係を持たない人々の家族愛」といったものでしょうが、その伝え方が、あまりにも歪(ゆが)んだものであると感じました。この映画は、文化庁からの助成金を得ているにもかかわらず、監督の是枝裕和はスポンサーとなった文化庁に対して、「日本の映画産業の規模を考えるとまだまだ映画文化振興のための予算は少ない」と、皮肉じみたメッセージを送り、日本政府がパルム・ドール受賞を記念して顕彰(けんしょう)しようとしたところ、「公権力とは潔(いさぎよ)く距離を保つというのが正しい振る舞いなのではないかと考えています」と言い放って辞退したのです。しかし、政府からの援助がなければ『万引き家族』という映画自体が作れなかったはずで「恩を仇で返す」とは、まさにこのことでしょう。

是枝裕和は、以前から『日本人になりたかった』（※17）という在日韓国人をテーマにしたドキュメント作品を制作したり、韓国人女優を映画のヒロインに起用したりする（※18）など、反日・親韓的な思想を持つ人物のように思えます。『万引き家族』の登場人物たちが、犯罪や下品な行為を繰り返すのは、世界の人々に「日本人は愚かな民族」という印象を植え付けるためではないかとすら、僕は考えています。

クリエイターだけではなく、演技者にも反日・反体制的な人物が存在します。第6章でも紹介した『空母いぶき』で、日本国の首相役を演じた俳優の佐藤浩市は、雑誌のインタビューで「（首相役を）最初は絶対やりたくないと思いました（笑）。体制側の立場を演じることに対する抵抗感が、まだ僕らの世代にある」と発言しました。また、佐藤自身の提案により、首相はストレスに弱くてすぐにお腹を下すという漫画にはない設定が付け加えられています。これは、機能性胃腸障害で首相を辞任した経験を持つ安倍晋三首相を揶揄しているのではないでしょうか。佐藤浩市は「体制に逆らうことが一流クリエイターの証」という、時代遅れの思想を持つ人物のようですが、「反体制を標榜したかつてのクリエイターは、反体制という『体制』にすがっていたに過ぎない」という事実に気づくべきだと思います。

左派・リベラルがこぞって標的にした『日本国紀』

ＳＮＳの普及をきっかけに、反日・反政府的な思想を持つクリエイターたちが、いっせいに特定の作品を取り上げて批判する、または賛美することによって、自らの政治思想をアピールする機会が増えてきたように感じます。

僕自身も以前、『万引き家族』の内容を見て「日本ではヒットしないでしょう」という予測をＳＮＳに書き込んだのですが、同作のヒットを受け、ＳＦ作家の**山本弘**（※19）が、僕の書き込みに皮肉じみた感じでリツイートしたことがあります。後に編集者から聞いたところ、山本弘は、数年前から安倍政権を批判するリツイートを繰り返しているそうです。それだけでなく、一九二三年に発生した関東大震災直後の日本人による〝朝鮮人虐殺〟説を事実として各メディアで吹聴し、虐殺された人数を「六千人」と自作内に記述しました。同年の国勢調査によると、当時の東京府内に住んでいた朝鮮人の総数は二千三百人程度であり、六千人という数は明らかな誇張・捏造です。編集者によると、山本弘は「科学的根拠がないものは絶対に認めない」のだそうで、以前は「**トンデモ本**」（※20）を嘲笑う「と学会」という会の会長をつとめていたそうですが、歴史に関しては、そのスタンスがあてはまらないようです。

まらないようです。

ここ数年で、反日クリエイターたちから最も批判・糾弾(きゅうだん)された作品は、百田尚樹氏の『**日本国紀**』（※21）ではないでしょうか。これは縄文時代から平成にいたるまでの日本の歴史を作者の見解を交えて書かれたもので、負の側面が強調されがちな既存の歴史書とは違い、日本という国の魅力や素晴らしさが強調されています。その内容は、まさに「日本通史の決定版」と呼ぶにふさわしいものですが、反日クリエイターたちは、『日本国紀』発売とほぼ時を同じくして、いっせいに酷評(こくひょう)の声をSNS上に書き込みました。

彼らの批判を読むと、「記述に間違いがある」「既存のサイトからの転用が多い」「作者の主観だらけ」といったものですが、数多くの資料を参考にして書かれる歴史書の特性上、一部が既存の作品と似るのは起こり得ることでしょう。また、作者の主観が強いといっても、歴史は記す人物の立場や考えによって、まったく異なるものとなります。

前述の歴史に詳しい知人から聞いたところ、**司馬遼太郎**(しばりょうたろう)（※22）や**網野善彦**(あみのよしひこ)（※23）など、歴史作家の見解は個人によって異なり、それぞれが「司馬史観」「網野史観」などと呼ばれて、人々から受け入れられているそうです。『日本国紀』は、いわば「百田史観」とでもいうべきものなのですが、作風の自由性をうったえる反日クリエイターたちは、なぜか徹底的に批判します。もし、『日本国紀』の内容が、日本という国を卑下するものだったら、彼らは諸手を挙げて大絶賛していたかもしれません。

さらに、ＳＮＳ上で『日本国紀』に対する批判を読むと、反日クリエイター、および彼らと似た思想を持つ左派・リベラル層が持つ排他的な選民思想が透けて見えます。『日本国紀』の売り上げが六十五万部ほどで停滞したという情報を受け、ＳＮＳには、「百田尚樹氏の本を喜んで読む層にとっては、厚すぎ＆難しすぎだったからだろう。六割程度の厚さでイラスト中心にしていれば、恐らく百万や百五十万部は軽くいっていたのではないか」という嘲笑的な意見が書き込まれました。これは、「『日本国紀』および百田尚樹を支持する人間は、頭が悪い」というメッセージに他なりません。また、神奈川県の某書店の公式アカウントには、『日本国紀』の発売日に「ことの顛末を報告いたしますと、発注していないのに三十冊以上入荷があった。どうしよう。とりあえずどこかに置こう。ということでした」「いっそのこと、トンデモ本を集めてフェアでもやろうかと思いましたが、いや、やってればよかった」と、まるで同作を有害図書扱いするかのような書き込みが続きました。

おそらく、反日的な思想を持つ書店員が書き込んだのでしょうが、『日本国紀』を批判する層と同時に、発売を心待ちにする読者も数多く存在しました。この書店員は、結果的に多くの読者の気持ちを踏みにじったのです。

表面上は平等・差別撤廃を訴える一方、気に食わない作品や意見は、まるで子供のいじめのように槍玉に挙げて晒しものにするのが、彼らの特徴です。反日クリエイター、および左派・リベラル層の大半がダブルスタンダードの持ち主であることは、前述のメディアから締め出された男性ジャーナリストや、杉田水脈議員に対する一方的な攻撃の例を見れば一目瞭然です。

新元号「令和」こそ新時代の象徴

前述した会田誠や奈良未智の作品の一部は、芸術という面から見れば素晴らしいものだと思います。しかし、彼らが作品に込める反日・共産主義礼賛的なメッセージを批判する意味で、僕はあえて彼らの作品関連にお金を出すことを自らに禁じています。

「龍狼伝シリーズ」（※24）を手がける漫画家の山原義人は、沖縄県出身の人物です。彼は、自分の出身地がおかれている危機的状況や周辺諸国の横暴に憤りを感じて、数年前からSNS上に保守・愛国的なメッセージや周辺諸国の行為に対する警告を書き込み続けています。僕は山原義人とは思想が近いため、SNSなどを通じて、ひんぱんにやりとりを行っているのですが、お互い今後の日本の国防について不安を感じています。

ただ、最近は、山原義人以外にも**小林誠**（※25）、**江川達也**（※26）、**黒鉄ヒロシ**（※27）

や**柳沢みきお**（※28）など、保守・愛国的な思想をメディアで主張したりSNSに投稿する漫画家が増加しています。また、**『テコンダー朴』**（※29）**『日之丸街宣女子』**（※30）といった、対外問題をコミカルテイストで語った漫画も刊行され、いずれも高い評価を得ています。このような作品を手がけている作家を「ネトウヨ」などと批判する声がありますが、僕は、彼らは自分の想いを素直に表現しているだけだと思います。むしろ、作中で自国を不当に貶め、諸外国に対して媚びへつらうような姿勢を見せる反日クリエイターの方に、僕は異常性を感じます。

二〇一九年四月一日、「令和」という日本の新元号が発表されました。従来の日本の元号は、中国の古典から引用されたものが多かったのですが、令和は、日本最古の歌集『万葉集』に収められた「時、初春の令月にして、気淑く風和ぎ、梅は鏡前の粉を披き、蘭は珮後の香を薫す」という序文を元に考えられたものでした。

僕は、この話を聞いて、日本がついに中華文明から完全に脱却したと感じました。日本に新時代が到来したのです。多くの人々が賞賛する一方、徹底した反日思想を持つ映画監督の**想田和弘**（※31）は、「天皇が交替するだけで時代が変わるという感覚は、見事に日本国内でしか通用しないガラパゴスな感覚ですよね。日本以外の世界は一ミリも時代は動きません」とSNS上に書き込みました。僕は彼の書き込みを読んで、絶句したのです。

確かに、日本の元号変更は世界に大きな影響を与えるものではありません。しかし、国家には、それぞれ独自の文化や特色があり、それが人間の文化の多様性を生み出すのです。想田和弘は、夫婦別姓制度を認可することを日本政府に求めているそうですが、彼は多様性を求めているのではなく、単に日本の国益になるものはすべて否定するというスタンスなのでしょう。想田和弘のように、表面上は自由や多様性を標榜(ひょうぼう)する人物こそ、実際は文化を否定・破壊していることが多いのです。

太平洋戦争後の日本のエンターテインメント業界は、反日思想を持つクリエイターによって支配されてきたと言っても過言ではありません。しかし、その傾向は、徐々にではありますが終焉(しゅうえん)をむかえつつあります。今後、日本に保守・愛国的作品を全面的に受け入れる風潮が生まれたら、日本の作品文化は、いよいよ豊潤(ほうじゅん)なものとなり、さらに世界市場における強力なコンテンツになると思います。

(注釈)

※1 夢(監督・黒澤明) 一九九〇年公開。夏目漱石の小説『夢十夜』をオマージュした内容。(各エピソードの前に表示される「こんな夢を見た」という字幕は、『夢十夜』の各挿話(そうわ)の書き出しと同一)

※2 七人の侍(監督・黒澤明) 一九五四年公開。個性あふれる七人のキャラクター、圧倒的な

的な側面がある。

活劇の迫力から、邦画のみならず世界映画史上屈指の名作として、国際的に評価されている作品。『荒野の七人』（ジョン・スタージェス監督。一九六〇年公開）など、数々のオマージュ作品が作られたが、本作自体、ジョン・フォード監督の西部劇映画（『駅馬車』『荒野の決闘』など）のオマージュ的な側面がある。

※3 陽だまりの樹　一九八一年に『ビッグコミック』誌上で連載開始。開国直前の日本を描く。作中に登場する医師・手塚良庵（手塚良仙）は、実在の人物（手塚治虫の曽祖父）。

※4 欠史八代　第二代綏靖（すいぜい）天皇から第九代開化（かいか）天皇まで八代の天皇は、史料が極めて少ないため、非実在説が唱えられている。

※5 沖縄ノート（大江健三郎著）　一九七〇年に岩波書店から刊行された大江健三郎のルポルタージュ。太平洋戦争時の沖縄の惨状を描いた作品であるが、現在では、作者・大江健三郎の主観に基づいた記述が多いことがわかっている。

※6 北の国から（脚本・倉本聰）　一九八一年からフジテレビ系で放送開始されたドラマシリーズ。都会の生活から郷里の北海道に帰郷した黒板（くろいた）五郎と、五郎の子供である純と蛍（ほたる）の生活を描く。二〇〇二年に放送された『遺言』がシリーズ最終作となった。

※7 ブルークリスマス（監督・岡本喜八（きはち）、脚本・倉本聰）　一九七八年に公開されたSFスリラー。UFOを目撃したことにより、血液が青くなった人間を、各国政府が抹殺（まっさつ）しようと計画する。脚

本の倉本聰は、『北の国から』でもUFOを登場させるなど、地球外生命体の存在を信じている節がある（？）。

※8 **風の谷のナウシカ**（原作・監督　宮崎駿）　一九八四年に公開された劇場版アニメ。人類の最終戦争「火の七日間」により荒廃し、異形の生物が棲む「腐海（ふかい）」におおわれた世界で、人々が暮らす「風の谷」の族長の娘ナウシカが人と自然の共存を求めて活躍する。宮崎駿自身による漫画版（徳間書店刊『アニメージュ』で一九八二年に連載開始）では風の谷と同盟関係にあるトルメキアが、アニメでは敵対勢力になっているなど、漫画版とアニメ版とでは物語設定が異なる。アニメ版では文明破壊の象徴として描かれた腐海だが、漫画版では意外な正体が明らかにされる。

※9 **天空の城ラピュタ**（原作・監督　宮崎駿）　一九八六年公開の劇場版アニメ。初のスタジオジブリ作品。公開当時は、アニメの視聴者層が高齢化していたため、低年齢層向けの「マンガ映画の復活」がコンセプトだった。作中の古代国家ラピュタは、かつては超科学力で繁栄を極めたが、疫病（えきびょう）により崩壊したという設定。

※10 **高田冬彦**　一九八七年生まれの前衛芸術家。SNSのアイコンは、富士山のイラストをバックに日本神話の神のような格好をした高田冬彦自身の画像（二〇一九年十二月時点）。

※11 **会田誠**　一九六五年生まれ。反戦、反権力的なメッセージを作品に込めることが多く、「檄文部科学省に物申す」という垂れ幕や、旧日本兵をゾンビのように描写したオブジェを発表し

たことがある。

※**12　奈良美智**　一九五九年生まれ。日本現代美術を代表する画家の一人。厭戦(えんせん)思想の持ち主で、自作に「NO WAR!」というメッセージを記すことが多い。

※**13　騎士団長殺し**（村上春樹著）　二〇一七年に刊行された村上春樹の長編小説。小田原市郊外で絵画教室の指導を行う「私」が体験する不思議な出来事を描く。「独身で生活に余裕がある主人公」「突如発生する超常現象」「収拾がつかないまま進むストーリー」など、今までの村上春樹作品のプロットを踏襲(とうしゅう)した内容。

※**14　カズオ・イシグロ**　一九五四年生まれ。六歳時から父親の仕事の関係でイギリスに渡る。一九八二年『遠い山なみの光』で長編小説デビュー。二〇〇八年に英『タイムズ』紙上で、「一九四五年以降の英文学で最も重要な五十人の作家」の一人に選ばれた。

※**15　是枝裕和**　一九六二年生まれ。大学卒業後、テレビ番組制作会社でドキュメンタリー番組の制作に携わっていた。一九九五年に『幻の光』で映画監督デビュー。何らかの形で不幸を背負った人々を、淡々とした雰囲気で描く作風が特徴。

※**16　万引き家族**（監督・是枝裕和）　日本映画でパルム・ドールを獲得したのは、『うなぎ』（今村昌平監督）以来、二十一年ぶりの快挙だった。作中の疑似家族のモデルは、親族の死亡を隠して年金を不正受給していた、とある家族。

※17 **日本人になりたかった**（監督・是枝裕和） 一九九二年のドキュメント作品。日本に住む在日韓国人の少年を主人公としたもので、作中では「在日外国人の中でも特に朝鮮国籍の人は、確かな根拠もなく危険視され続けている」というナレーションが挿入されている。

※18 二〇〇九年に公開された『空気人形』でヒロインの「のぞみ」を演じたのは、韓国人女優のペ・ドゥナ。

※19 **山本弘** 一九五六年生まれのSF作家。代表作は「妖魔夜行シリーズ」「MM9シリーズ」など。ハードなSF考証に基づいた作風が特徴。ここ数年、反安倍政権、親中国・韓国的なメッセージをSNS上で発信し続けている。

※20 **トンデモ本** そもそもは「エセ科学やとんでもない仮説を楽しむ本」という意味であるが、UFOや超常現象を扱った書籍がトンデモであることが多いため、現在では、オカルト本全般を指す場合も。山本弘が初代会長を務めた「と学会」により、一九九二年から「日本トンデモ本大賞」が毎年開催されている。

※21 **日本国紀**（百田尚樹著） 二〇一八年に刊行。発売前から左派・リベラル層による大規模なネガティブキャンペーンが行われたが、実際に目を通した読者からは、絶賛の声が相次いでいる。

※22 **司馬遼太郎**（一九二三〜一九九六） 日本の歴史を題材にした小説を多数発表。日露戦争に勝利するまでの黎明期の明治日本を描いた代表作『坂の上の雲』は、日本人の歴史観に大きな影響

を与えた。

※**23　網野善彦**（一九二八～二〇〇四）　歴史学者。日本を単一民族国家ではなく、アイヌ、琉球人など多民族による複合国家とみなす説を唱えた。

※**24　龍狼伝シリーズ**（原作・山原義人）　一九九三年から『月刊少年マガジン』誌上で連載開始。三国志時代にタイムスリップした二人の日本人高校生の運命を描く。一九九八年にドラマCDが発売され、二〇一五年に舞台化された。二〇二一年八月現在、『龍狼伝　王覇立国編』が連載中。

※**25　小林誠**　イラストレーター、漫画家。一九六〇年生まれ。代表作は『ドラゴンズヘブン』『迷宮都市』など。SNS上に戦後混乱期の朝鮮出身者による暴動を批判したメッセージを投稿したことがある。

※**26　江川達也**　漫画家。一九六一年生まれ。代表作は『まじかる☆タルるートくん』『東京大学物語』など。近年はコメンテーターとしての活動がメインになっており、「朝鮮半島は太古から裏切りの半島」「恩をアダで返してきた人を助けてはいけない」と、南北朝鮮や在日コリアンを批判する発言を連発している。

※**27　黒鉄ヒロシ**　一九四五年生まれ。日本漫画界の重鎮。一九六八年に『山賊の唄が聞こえる』でデビュー。代表作『ひみこーッ』『赤兵衛』他。ここ数年、韓国との国交断絶をテレビ番組で主張している。

※28 柳沢みきお　一九四八年生まれ。代表作は『翔んだカップル』『特命係長 只野仁』など。エッセイ的作品『大市民』には、「我々日本人って凄い民族なんだぞ」というセリフがある。

※29 テコンダー朴（原作・白正男、作画・山戸大輔）テコンドーの使い手・朴星日が、日本の保守層をモデルにした人物を次々と倒すという、韓国人の反日感情を徹底的に皮肉った内容。

※30 日之丸街宣女子（原作・岡田壱花　作画・富田安紀子）平凡な少女が家族の思想の影響で街宣活動を行う姿を描く。オピニオン誌『ジャパニズム』（青林堂）に連載された。作画担当の富田安紀子は、一九八五年に手塚賞佳作を受賞した。

※31 想田和弘　一九七〇年生まれ。二〇〇八年に作成したドキュメンタリー映画『精神』は、釜山国際映画祭最優秀ドキュメンタリー賞をはじめ、海外で複数の映画賞を受賞した。徹底した反日・親韓主義者であり、天皇制反対論や従軍慰安婦に対する謝罪を続けるべきだと各メディアで主張している。

終章 日本作品と日本の未来

幅広くジャンル分けされる日本の漫画

ある時、ネット上で欧米の漫画ファンのこのような質問を見かけました。「なぜ日本の漫画は『少年漫画』と『少女漫画』に分かれているのか」——確かに、日本以外の国では読者の性別によってジャンルを区分けすることは皆無に等しいです。

さらに日本では、「少年漫画」「青年漫画」と年齢での区分けも存在します。『少年ジャンプ』『ウルトラジャンプ』『ジャンプSQ』、『マガジン』『ヤングマガジン』などと同じ誌名でも種類が豊富なのはそのためです。しかし、これも外国の漫画文化には見られません。

その代わりと言ってはなんですが、アメリカン・コミック（以下、アメコミ）には独特のヒーロー文化が存在します。アメコミは読者の年齢や性別で区別されておらず、子どもから大人まで幅広く読まれている印象があります。

なぜ、このような現象が起きるのか。それは、僕は日本の方が漫画文化が発展しているからだと思います。最初は少年向けの市場が飽和状態になり、漫画家と出版社は新しい市場を開拓するため、あえて細分化させることを目的に年齢や性別を各誌絞って雑誌を制作した。ビジネスとして当然の考え方ですし、逆に言えば、それだけ市場が拡大していることとの証左でもあります。

たとえば、粉ミルク業界を考えてみてください。当然、最初は赤ちゃん用の商品を開発するわけですが、やがて競合他社が増えると、市場を山分けする結果となり自社の利益が減ってしまう。そうなると、今度は市場開拓の一つとして高齢者向けのミルクを開発することになり、「高齢者は骨粗鬆症の予防にカルシウム補充が必要だ」と計画を出し、新たな顧客層を開拓する。やがて高齢者の市場が飽和すれば、今度はペット用の粉ミルクの開発に着手する。親猫から離れて育つ飼い猫には、成分を調整した粉ミルクが必要です。

粉ミルクの例は「細分化」とは異なりますが、市場の拡大に伴う開拓の産物である点では同じです。要するに、日本は世界一の漫画大国であり、その文化は世界で一番発展しているということです。もちろん、それは日本人の漫画に対する需要が高いということでもある。

その影響力は凄まじく、今では企業向けの広告漫画や商品説明として漫画を使用することも少なくなく、政府広報でさえ漫画による発信を採用しています。つまり、日本において「漫画」は、もはや娯楽の枠を超えた表現媒体なのです。

「アベンジャーズ」より「コナン」!

二〇一九年四月、『**アベンジャーズ/エンドゲーム**』(※1)が世界各国で公開されました。

同作は、「**MCU**」(マーベル・シネマティック・ユニバース)(※2)と呼ばれるアメコミヒーロー映画シリーズの集大成といえる映画で、多くの国で興行収入一位を獲得したのですが、日本では同時期に公開された劇場版『**名探偵コナン 紺碧の拳**(こんじょうフィスト)』(※3)に阻(はば)まれ、一位になれませんでした(『アベンジャーズ/エンドゲーム』は二位)。前年の二〇一八年も「アベンジャーズシリーズ」と劇場版「コナン」が同時期に公開されたのですが(※4)、その時も、劇場版「コナン」が興行収入で上回りました(※5)。「日本では、アベンジャーズよりコナンの方が人気がある」という話は、海外のネット上で話題となっています。

その事実を受けて、反日的な意見をメディア上で発信し続けている映画評論家・**町山智浩**(ともひろ)(※6)が、「『エンドゲーム』が劇場用『コナン』に興行成績で敗れた原因は、『コナン』は普段、テレビでタダでやってるから」という推測をSNS上に投稿しましたが、僕は「多くの日本人は、アメコミヒーローよりコナンの方が好きだから」だと思います。

アベンジャーズシリーズをはじめとするMCU作品群の多くが、世界各国の映画興行史に残るほどの大ヒットを記録している一方、日本では並のヒット作程度の興行収入で終わることが多いのは、日本人の多くがアメコミヒーローにそれほど魅力を感じていないこと、自国の作品に強い愛着を持っていることが要因だと思います。実を言うと、中国でもアメコミヒーローファンより、日本の漫画やアニメファンの方が圧倒的に多いのです。

MCUなどアメコミヒーロー映画の内容は、「偶然、超パワーを手に入れた少年が悪党に立ち向かう」「特殊能力を持った大富豪が犯罪者集団と戦う」といったあからさまな勧善懲悪劇が大半です。話の筋立てがシンプルでわかりやすい点や、ハリウッド映画ならではの最先端の3D・CG技術を駆使した斬新なビジュアルが世界中で人気を博している要因でしょう。しかし、ふだん日本の漫画やアニメを見慣れている中国人の知人は、「アメコミ映画は、物語がワンパターンすぎて数作観ているうちに飽きてくる」と語っていました。

シリーズ23作目『名探偵コナン　紺青の拳』（原作・青山剛昌、監督・永岡智佳）ポスター（2019年4月12日公開）

また、日々進化・多様化し、一つに括ることが不可能な日本作品のヒーローに比べると、アメコミヒーローは、そのほとんどがタイツ型のコスチュームを着た筋骨隆々の人物で、一九三〇年代に生まれた『スーパーマン』（※7）の時代から、ほとんど進化していない気がします。

日本には自国民向けの魅力的な作品が数多く存在するからこそ、アメコミヒーロー映画がさほどヒットしないのでしょう。例えば、『名探偵コナン』のキャラの絵柄は、線が細いライトタッチで、女性や子供が受け入れやすいものです。日本には、欧米の写実的なものとはまったく異なる独特のデフォルメ文化が存在します。

一方、世界の大多数の国々には、アメコミヒーロー映画に勝るほどの作品が存在しないのではないでしょうか。「アベンジャーズシリーズ」は、中国で記録的な観客動員数を記録しましたが、これは現在の中国に自国民を引きつける作品を生み出す文化がないことの現れとも言えます。

世界中を見わたしてみても、日本とアメリカしか高度な作品文化が根付いていないというのが僕の持論ですが、それが事実であることを証明した映画が存在します。僕は、この章を書くための参考として、編集者から『レディ・プレイヤー1』（※8）という映画を観ることを勧められました。この映画は、VR（バーチャルリアリティ）世界で好きなキャラになれるという設定なのですが、登場するのはほぼすべて日本とアメリカ作品のキャラばかりです。これは、原作者であるアーネスト・クラインが日本作品の愛好家であり（※9）、監督のスティーブン・スピルバーグが黒澤明作品や「ゴジラ」をリスペクトしている（※10）ということもあるでしょうが、膨大な作品文化が存在している国は日本とアメリカのみというのが最大の理由でしょう。

ただ、個人的な見解を言えば、日本の作品文化は、実際にはアメリカのそれを凌駕（りょうが）していると思います。一定の期間内に特定の単語が世界中でどの程度検索されたかグラフで判別・比較できる「Google Trends」を使って調べてみると、『**ドラゴンボール**』『**ONE PIECE**』（※11）『**NARUTO -ナルト-**』（※12）といった、日本の大ヒット作品の一年間の検索数は、「アベンジャーズ」「MCU」の検索数を大幅に上回っているのです。このデータを見れば、日本作品は単純な売上額こそアメコミヒーロー映画には及ばないものの、世界における認知度はアメコミヒーロー映画よりはるかに高いことがわかります。日本は、世界に比肩するもののない「エンターテインメント超大国」なのです。

世界が哀悼（あいとう）した「京アニ事件」に無関心だった日本の政治家

共産党政府による反日政策が行われている現在の中国ですが、「隠れ親日層」だけではなく、中国共産党を擁護（ようご）して反日活動を行う中国人、俗に言う「**五毛党**（ごもうとう）」（※13）の中にも、日本のアニメ、漫画、ゲームの愛好家が数多く存在します。例えば、SNS上で中国政府のプロパガンダを流している中国人のアカウントの半分以上が、日本のアニメのキャラクターをアイコンにしているという皮肉な現象が起きています。

彼らは「反日はイデオロギー、日本の作品を観るのは生活」「オンとオフは区別してるよ！」という滑稽な言い訳をしながら、ふだんは反日活動をしつつも、実際は日本作品の虜になっているのです。日本製品の素晴らしさを知ったこと、来日して日本人のサービス意識の高さに感動したことなど、理由はさまざまですが、中国に流通する日本の漫画やアニメ、映画やテレビドラマを観て、その魅力にとりつかれた人々に親日感情が芽生える例も多いのです。優れた作品は、政府のプロパガンダ以上の影響を人々の心に与えます。今後、共産党政府が反日政策を継続したとしても、日本で作品が生み出される限り、国民を完全に洗脳することは不可能です。

二〇一九年七月十八日、「**京都アニメーション**」（※14）の第1スタジオにガソリンを持った男が侵入し、建物内部に放火する事件が発生しました。この事件により、三十五人もの有能なクリエイターが命を失ったのです。

テロともいうべきこの凄惨な事件に、世界各国から哀悼の声が寄せられました。しかし、日本の左派・リベラル層の一部は、「世界中で報道されたのは、有名アニメ会社が被害にあったからではなく、事件の規模が大きかったからだ」などと、日本の作品文化が世界に認められていないかのような発言をＳＮＳに投稿しました。僕は、彼らの発言に怒りを感じ、反論のメッセージを投稿せざるを得ませんでした。

この事件を熱心に報道し、大使館から哀悼のメッセージを送ってきたのは、イギリス、中国、台湾、フランス、カナダなど、いずれも日本製アニメの人気が高い「日本作品オタク」が多い国です。また、ＮＨＫでも報道されたように、多くの中国人が京都アニメーションの現場に花束を置いて追悼（ついとう）の意を表し、「いままでありがとう」と中国語で書かれたメッセージカードを添えました。さらに、アメリカのアニメ配給会社「センタイ・フィルムワークス（Sentai Filmworks）」がクラウドファンディングで募集した京都アニメーションへの支援金は、事件後わずか三日間で百六十七万八千三百六十六ドル（約一億八千四百六十二万円）に上りました。中国のＳＮＳ「微博（ウエイボー）」を通して百ドル（約一万八百円）寄付した中国人もいました。日本の「アニメイト」各店舗でも、京都アニメーションの再建のための寄付金が集められましたが、多くの中国人が在日中国人に頼んで寄付を行ったという情報が、微博で拡散しました。彼らは、中国と日本の過去の軋轢（あつれき）や、現在の領土紛争問題を差し置いて京都アニメーションを救おうとしています。これは、心底から日本アニメのクリエイターを尊敬している証拠です。

仮に日中間で戦闘が発生しそうになった場合、中国人オタクたちは、交戦回避のために奮闘するでしょう。日本の作品は、ある意味、国防の役割を果たしています。しかし、日本の政治家の中で、自国の作品の素晴らしさを完璧に理解しているのは、自身が漫画愛好家である**麻生太郎元総理**（※15）くらいではないでしょうか。

また、海外の多くのメディアが大々的に報道したにもかかわらず、この事件が発生した当日が参議院総選挙（二〇一九年七月二十一日）の直前だったからか、多くの政治家は自身の選挙活動に夢中で、京都アニメーションには無関心な様子でした。日本の政治家よりも海外メディアの方が日本のソフトパワーを理解しているという皮肉な事態が判明したのです。得票数ばかりを意識して街宣活動を行う政治家と、忙しい選挙選のさなかにもかかわらず事件に関心を示す政治家。どちらが日本に国益をもたらすかは言うまでもありません。例え漫画やアニメに興味がなくても、日本の底力であるソフトパワーを無視する人物は、政治家失格だと僕は思います。

日本は天国のような場所

特定の宗教や政治思想に支配されない日本で生み出される作品は、国家や人種、言語の垣根を超えて世界中で愛好されています。この事実が大きく報道されないのは、自国を誇ることをタブーとする戦後日本に根付いた自虐的な歴史観、そして、日本を貶めようとする左派系マスコミや反体制文化人のせいではないでしょうか。

今後、日本が総力を挙げて自国の作品をさらに大々的にアピールできるようになれば、災害からの復興や世界における地位向上につながります。ただ、日本の人々が「日本の優秀性をあからさまに自画自賛してはいけない」という、戦後教育の悪影響から完全に脱却するためには、憲法改正や自衛隊の国軍化を実行して、日本が真の意味で独立することが必須だと思います。

優れた作品を愛する僕にとって、数々の作品であふれる日本は天国のような場所です。そして、その日本に住みながら作品クリエイターの一員となっていることに、この上ない誇りを持っています。

これからも、日本で素晴らしい作品が生まれ続けるでしょう。そして、日本で生まれた作品は世界中の人々を魅了し続けるのです。最後にこのセリフを記して、この本を締めくくりたいと思います。

「日本の作品は最高だ！」

（注釈）

※1 アベンジャーズ／エンドゲーム（監督・ルッソ兄弟）　アベンジャーズシリーズの最終作。『アバター』を抜き、興行収入世界歴代一位を記録した。宇宙の存亡をかけてタイムスリップするヒーローたちの戦いを描く。

※2 MCU（マーベル・シネマティック・ユニバース）　二〇〇八年に公開された『アイアンマン』（監督 ジョン・ファブロー）を第一作とする、マーベル・コミック社のコミックを原作とした映画の総称。世界歴代興行収入ランキングベスト10に四作が入るほどの大ヒットシリーズとなっている。

※3 名探偵コナン　紺碧の拳（原作・青山剛昌（ごうしょう）　監督・永岡智佳（ちか））　二〇一九年四月十二日に公開されたシリーズ第二十三弾。二〇一九年七月現在、シリーズ歴代二位の興行収入（八十七億円）を記録している。推理よりも、登場人物のアクションを重点的に描いた内容。

※4 二〇一八年四月十三日に劇場版『名探偵コナン　ゼロの執行人』（監督・立川譲（たちかわゆずる））、同月二十八日に『アベンジャーズ／インフィニティ・ウォー』（監督・ルッソ兄弟）が公開された。

※5 日本における『名探偵コナン　ゼロの執行人』の興行収入が九十一・八億円だったのに対し、『アベンジャーズ／インフィニティ・ウォー』は三十七・四億円だった。

※6 町山智浩　一九六二年生まれ。映画雑誌『映画秘宝』（洋泉社）を創刊後、出版社を退職して

フリーとなる。親韓的な発言が多いのは、父親が在日韓国人ゆえと推測される。
※**7 スーパーマン**　一九三八年、『アクション・コミックス（Action Comics）』誌（DCコミックス社刊）に掲載された漫画を第一作とするヒーロー作品、および主人公の名前。「タイツ型のコスチュームをまとった超人」という、アメコミヒーローのスタンダードなスタイルを作りあげた。
※**8 レディ・プレイヤー1**（原作　アーネスト・クライン、監督　スティーヴン・スピルバーグ）二〇一八年公開。五千億ドルの財産をめぐるVR世界内でのプレイヤーと悪徳企業の戦いを描く。原作者のクラインは、日本映画の『アヴァロン』（監督・押井守（おしいまもる））を元ネタにしていると語っている。
※**9** アーネスト・クライン自身による『レディ・プレイヤー1』の原作小説（邦題『ゲームウォーズ』）には、『マジンガーZ』『勇者ライディーン』『新世紀エヴァンゲリオン』のロボットが登場する（VR世界で、プレイヤーのアバターが操縦する）。
※**10** スピルバーグは、自作『シンドラーのリスト』（一九九三）や『戦火の馬』（二〇一一）では黒澤明作品の演出をオマージュし、『ジュラシック・パーク』（一九九三）は、日本のゴジラ映画をモデルにしたと公言している。
※**11 ONE PIECE**（原作・尾田栄一郎）「ひとつなぎの秘宝（ワンピース）」を手に入れようとする、モンキー・D・ルフィを船長とする「麦わら海賊団」の冒険物語。一九九七年より『少年ジャンプ』で連載中。単行本の発行部数は、世界累計四億八千万部を突破しており（二〇一九年三

月時点）、「最も多く発行された単一作家によるコミックシリーズ」として、ギネスブックに認定されたメガヒット作品。

※12 NARUTO ―ナルト―（原作・岸本斉史） 体に「九尾の狐」を封印されたうずまきナルトが戦い成長してゆく姿を描く。一九九九年～二〇一四年まで『週刊少年ジャンプ』で連載。「忍者」という和風テイストあふれる作品テーマと、オリエンタリズムあふれる作画から、世界中の多くの地域で高い評価を得ている。

※13 五毛党 中国共産党の下でインターネット世論誘導を行う集団をさすネットスラング。正式名称は「網路評論員」だが、一件書き込むごとに五毛（〇・五元）が毎月の最低賃金に上乗せされることをからかって名付けられた。

※14 京都アニメーション 一九八五年に設立されたアニメスタジオ。『涼宮ハルヒの憂鬱』『CLANNAD』『らき☆すた』『けいおん！』劇場版『聲の形』などヒット作多数。美麗な作画、原作の忠実な再現、繊細な心理描写などが特徴で、多くのファンが存在する。

※15 麻生太郎元総理は『ゴルゴ13』の大ファンを自認しており、首相時代に「国際漫画賞」を設立することを公言していた。ちなみに、ネット上での「ローゼン閣下」という通称は、空港でPEACH-PIT（ピーチ・ピット。日本の女性漫画家ユニット）作の漫画『ローゼンメイデン』を読んでいたと噂されたことが発端。

あとがき

念願の日本へ帰化した僕ですが、それはあくまで書類上の話です。そこで気持ち（アイデンティティ）だけでなく、この国が育む日本人の価値観や民族性を少しでも理解し、少しでも日本人らしさを培うために、今は日本の歴史を学んでいます。まずは神話である『古事記』（の漫画）を読んでいます。

二〇一三年に来日した時から、各地の神社をめぐるのが好きでした。ですが、今まではどの神社にどのような神様が祀られているのか、そんなことは恥ずかしながら知らず、ただ漠然とパワースポットの延長線上で、神秘的な空気感は感じつつも、なんとなく「お参りすると運がよくなる、おみくじを引いて大吉が出れば安心する」そんなレベルの認識でした。

しかし『古事記』を通じて日本神話に触れてみると、なんと日本全国にある数多の神社には、それぞれどのような神様が祀られているのか、すべて『古事記』に書いてあるではありませんか。このような国は、他に聞いたことがありません。これなら、日本のどこにいても神社めぐりが楽しくなります。

また同時に、戦後GHQの占領政策の一環として日本神話が規制対象になったことが、日本人の愛国心を希薄にした要因の一つであることも実感しました。外国出身者が『古事記』を読むと、日本の歴史や文化に対する奥深さを感じ取ることができるのです。

帰化したばかりの僕が言うのも何ですが、そんな『古事記』は日本での帰化を希望する外国人には必読の一冊だと思います。特に、外国人が日本を好きになる理由の多くは、漫画やアニメなどのサブカルチャーが大きな割合を占めています。だからこそ、あえてサブカルチャーだけでなく、日本が持つ素晴らしき歴史や伝統、文化などのメインカルチャーに触れるべきでしょう。

また、あえて日本のサブカルチャーが好きな外国人に『古事記』を薦める理由として、昔から日本の漫画やアニメには日本神話を扱った作品がたくさんあるからです。昨今では漫画やアニメだけでなく、スマートフォン向けのアプリゲームなどにもキャラクターとして日本神話に登場する神々がデフォルメされて登場するケースも少なくありません。つまり『古事記』を通じて日本神話に触れることで、自分の好きな漫画やアニメの関心や解釈の幅も広くなり、作品理解もより一層深いものになるのです。そうすれば、自ずと日本人の感性や深層心理も少しずつ理解できるようになる。

さらに『古事記』を読む最大の魅力は、日本人もしくは日本そのものを理解するうえで最も重要な「天皇」や「皇室」という存在の尊さを感じることができることです。『古事記』は歴史書でありながら、実際には日本の誕生から初代天皇である神武天皇が生まれるまでの神話の物語でもあります。世界中どこを探しても、神話が歴史の一部とされているのは、おそらく日本だけではないでしょうか。歴史は歴史、神話は神話――それが世界的なスタンダードだと思いますが、そうした日本の独自性には、やはり皇室の存在が大きく影響しています。

日本の皇室は百二十六代による万世一系の男系天皇によって、二千六百年以上の歴史を一つの王朝で紡いできました。そのような比類なき歴史と神話が一本の線でつながり、今日まで継承され続けているのは、いつの時代も天皇という存在が日本人にとって尊い存在であり続けたからだと思います。だからこそ『古事記』が書かれた太古の時代より、全国各地にある無数の神社それぞれに由緒ある神様と伝統が存在し、それが千年以上もの間継承され続けてきている。よく聞く、外国人が「日本人のどこが無宗教なの?」というのも納得がいきます。このようなことは、天皇陛下を頂いた日本にしか成しえないことだと思います。

一足先に帰化した者として、日本の漫画やアニメが魅力的だということもよく理解できますが、ぜひ外国の方々には日本という国は、これまで述べてきたような特殊で魅力的な歴史、文化、伝統を持つ国だということを、少しでも理解してほしい。そんな日本人の魅力ある精神性や民族性が漫画やアニメにも反映されていることを、本書を通じて理解していただけたらと思います。

令和三年九月

孫　向文

本書は二〇二〇年二月に小社より刊行した『中国人の僕は日本のアニメに救われた！』を改題し、加筆したものです。

孫向文（そん　こうぶん）
1983年、中華人民共和国浙江省杭州市出身。2013年の来日以降、雑誌やインターネットを中心に漫画やコラムを執筆。2021年、日本国籍を取得。主な著書に『中国のヤバい正体』（大泉図書）、『中国人の僕は日本のアニメに救われた！』（ワック）、『国籍を捨てた男が語る中国のヤバすぎる話』（竹書房）、『超限戦事変』（青林堂）などがある。

中国人の僕が日本に帰化した理由

2021年11月1日　初版発行

著　者　孫 向文

発行者　鈴木 隆一

発行所　ワック株式会社
東京都千代田区五番町 4-5　五番町コスモビル　〒102-0076
電話　03-5226-7622
http://web-wac.co.jp/

印刷製本　大日本印刷株式会社

ISBN978-4-89831-848-5